WAC BUNKO

2023年
中国の真実

習近平、最悪の5年間が始まった

宮崎正弘
石平

JN126213

WAC

はじめに——ウクライナの次は台湾侵攻か！

宮崎正弘

石平さんとの対話シリーズを「中国年次報告書」のように毎年出してきました。本書は第十三弾になります。

毎回、読者の皆さんに支えられて好評を頂きました。

私たちが警告し予測してきた通りに中国経済は「死に体」となり、不動産不況はデベロッパーの連鎖倒産、ローンの不払い運動、地方銀行における取り付け騒ぎに発展しました。この苦境にアメリカの中国制裁が強化され、近未来の展望は真っ暗。こういう時に二流の指導者は必ず対外戦争を仕掛けて矛盾のすり替えをやります。

ですから台湾侵攻という危険なシナリオは、あり得ない話ではなく、もはや時間の問題とも言える。安倍元首相が言ったように「台湾有事は日本有事」になります。

中国共産党のトップ人事、軍事委員会のハイテク重視という配置からみても明らかで、政治局二十四名のうち、六名が軍人ならびに軍需産業から選ばれました。習近平三期目は具体的な台湾侵攻の準備にはいったと判断されます。

政治を外交、国防から判断するのは地政学の基礎ですが、私たちが重視したのは経済のアングルから、そして市場の動向から予測できるシナリオを加えました。

アメリカは台湾への姿勢を改めたとはいえ、「戦争になったらアメリカ軍は参戦するか」と問われるとバイデン大統領は「イエス」と四回も答え、ホワイトハウスは慌てて四回とも否定し「現状のまま」と修正しています。つまりアメリカの台湾防衛は曖昧のままなのです。

軍事面では、二〇二二年十一月に広東省珠海市で行われた中国の軍事力を誇示する「国際航空宇宙ショー」に注目が集まりました。人民解放軍創設百年を迎える二〇二七年を意識し、最新鋭の兵器を並べました。就中、空中給油機「運油20」、無人機「翼竜」（航続距離一万キロ、40時間）、宇宙ステーション「天宮」の展示が注目されました。

一方、台湾の外交部は「習近平国家主席が中国の『皇帝』になったため台湾侵攻の可能性が高くなった」と切迫した認識を示しています。

習近平が連続して好戦的な声明を発表しつづけ、「断固として台湾の独立に反対し、これを封じ込める」と公言しているわけで、明らかに状況はエスカレートしています。ナンシー・ペロシ米下院議長（当時）が二〇二二年八月に台北を訪問した際、中国はこれ見よがしの実弾訓練を実施し、ミサイルを11発も発射し、台湾封鎖訓練を実施しました。

台湾としては自衛力を高め、軍人の待遇も改め、アメリカから高性能なハイマースや155ミリ榴弾砲などを購入、また予備役も招集して訓練を繰り返しています。

これはロシアのウクライナ侵攻を最大の教訓としたからです。「明日は我が身」と受け取ったわけで、台湾防衛のための通信インフラ構築、戦略物資の備蓄、ハイブリッド戦の能力向上を同時に重点としました。

台湾の軍事専門家は「中国は台湾に内部の不和とパニックをまき散らすことを当面の目標としています。この肥大化した中国軍事力とその政治的野心と拡張主義を世界が知れば、台湾は国際社会からより多くの支援を得られる。台湾が企図するのは権威主義的な支配からの安全であり、自由、民主、人権を重んずる民主主義国家は結束して、現状を変えようとする中国の試みに抵抗すべきだ」としています。

G7外相会議（二〇二二年十一月）は、台湾海峡全体の平和と安定の重要性を再確認し、中国との建設的な協力を引き続き目指すとし、共同声明は「両岸問題の平和的解決を求める」というものでした。

一方、戦争に懐疑的なのはデニス・ブレア元米国家情報長官です。「中国にとって台湾侵攻はリスクが高すぎる。近く発生する可能性は低い」として、ロシアのウクライナ侵攻と比較し、「地理的にも経済的にも台湾侵攻は困難なうえ、侵攻に失敗したときは共産党の国内統御が揺らぐだろう」と分析しました。

市場がなによりも雄弁に中国の現在を物語ります。

とくに次世代通信とハイテクを支えるビッグテックと呼ばれる企業が芳しくない。GAFAは収益が落ち込み、メタもツィッターも大幅な人員削減、株価は30％から50％も下落しました。

中国でもテンセント、アリババ、ハイセンス、ファーウェイの株価が下落しました。連鎖で、中国と関与の深い日本の企業も株価が下落し、とくに目立つのが半導体製造装置メーカーの東京エレクトロンでした。

日本の中国政策は、アメリカと明確に乖離が生まれており、これが日米摩擦に発展しかねない。

とはいうものの米商務省の対中半導体輸出規制はザル法になる恐れがあります。中国は半導体を「産業のコメ」と認識していますが、日本との違いは「軍事産業のコメ」であっても民間企業の明日を支える民生品とは考えていない点です。

二〇二二年十一月に中国は安徽省の合肥で「世界半導体国際会議」を開催しました。目的は「サプライチェーンの安定化」で「合肥イニシアティブ」と銘打たれました。

アメリカの専門家らは米国政府による新たな対中国半導体技術輸出制限について（一）規制内容の混乱、（二）商務省の仕様書を読むと技術に関して無知、（三）民間企業への悪影響を考慮せずにパニックモードで急いで実施されたため不備がめだつとしています。

米商務省産業安全保障局は、新しい輸出規制は「中国が軍事用途に転用する可能性が高い半導体の購入ならびに製造装置などを対象とする」としていますが、米国の業界専門家はこれらの規制は殆ど意味がなく「中国の研究所レベルで主要な兵器システムに供給できる高度なチップを作ることができる」と観察しているのです。なぜなら中国は既に米国東海岸に到達できるミサイルを保有し、航海中の米空母を破壊できるミサイル（空母キラー）を保有しているではないか。

現在の中国がもつ設備、能力、人材（北京大学はアジア一と認定された）などから推量できることは「ＡＩ主導の軍事アプリケーション」（５Ｇネットワークはファーウェイが世界最大。ＡＩのドローン誘導技術および生産量も中国が世界最大）であり、たしかにハイテク高度化に５ナノ以下の半導体が必要だが、中国は開発コストを度外視すれば、すでに能力があるとします。

また米国のラムリサーチ、アプライドマテリアルズなどは、中国とのビジネスで20〜30％の利益を失っており、中国寄りの『アジアタイムズ』（二〇二二年十月十七日）はこう書いたのです。

「米国の半導体企業は新しい規制で、中国よりも大きな損害を受けるだろう」

抜け穴はまだあります。

ロシアへの経済制裁に参加しない中国とインドは、ロシアからダンピングで石油とガスの輸入を急増させました。インドはロシア石油を精製し、インド産として世界各地に輸出し、おおいに外貨を稼いだ「実績」を誇る。イタリアはＥＵ、ＮＡＴＯメンバーでロシア制裁に加わっていながらシチリアにある巨大な石油精製基地はロシア企業経営です。

ロシアからの石油を減らした筈でしたが、シチリアで石油精製を行い、あまつさえガソリンに精製されたうち93％が「イタリア製」となって米国へ輸出された（ウォールストリートジャーナル、同年十月一日）。ルクオイルのシチリア精製基地では日量40万バーレルです。

なんといってもロシアからダンピングで石油とガスを最大限輸入した中国は漁夫の利を得たうえロシアに対しても立場を強くしました。

「ロシアの中庭」といわれた中央アジアのイスラム五ケ国（カザフスタン、ウズベキスタン、キルギス、トルクメニスタン、タジキスタン）への中国の浸透ぶり、それを目撃してしても傍観するしかないロシア。

西側が逃げ出したタリバンのアフガニスタンへも、中国は果敢に進出し銅山開発の再開を狙い、周辺のパキスタンやインドが警戒を強める。

こうしたタイミングに欧米メジャーの第3四半期決算が出そろい、燃料価格暴騰を背景に大幅増益を発表しました。

庶民は物価高で家計を直撃され、生活の不安を訴えているというのに「メジャーの儲け過ぎは、いったい何だ」と不満の声が充満し、中間選挙でバイデン与党は下院の多数派を失いました。

このような国際情勢の複雑な激変に適切な対応が取れず、米国追随しかない日本政治の貧困が改めて浮き彫りになったということでしょうか。そんな混迷する日本の明日を切り拓くためにも、本書が役立つことと思います。

習近平、最悪の5年間が始まった

◉目次

第一章

第三章

習近平の最悪の五年間が始まった
毛沢東を凌ぐラストエンペラーの誕生

「戦狼外交」をやっているヒマはなし？／「北戴河会議」から党大会までに何が起こったか？／「共同富裕」と「改革開放」はどこに消えた？／習近平はラストエンペラーになった／「終身独裁」を目指して、若手を起用せず／自作自演の猿芝居で、消えた北戴河会議での合意／胡錦濤の「強制連行」の裏舞台とは？／王滬寧がこの十年間、陰謀の発信元だった／習近平は法学博士、李強はＭＢＡなれど……／政治局は家臣・佞臣ばかり／統計数字の誤魔化しはさらに拡大する！／明王朝が滅亡したころを彷彿させられる／ゼロコロナ政策を止められない理由／約三億人が都市封鎖の影響を受ける／「ゼロコロナ」で「ゼロ成長」「マイナス成長」へ？／腐敗した共産王朝も明と同じように滅びる！

第四章　沈みゆく中国船にしがみつく悲劇
日本企業よ、「撤退バスに乗り遅れるな」……177

取材協力／佐藤克己
装幀／須川貴弘（ＷＡＣ装幀室）

第一章

「日中復交」が習近平独裁体制を生んだ

中国の半世紀に及ぶ「反日主義」を総括！

「バカ殿様」の一人勝ちとなった党大会

宮崎　五年に一度開かれる中国共産党全国大会（二〇二二年十月）で、予想通り、習近平の三期目が認められたね。もっとも、中国共産党ならではの凄まじい陰謀の渦巻く党内闘争の結果だったけれど（苦笑）。

石平　衆人環視の中、胡錦濤の「強制連行（強制排除）」が起きて、習近平独裁政権が完全に確立されて、「仲良し倶楽部」「お友達」政権発足となった。もう、ウンザリするしかない。「バカ殿様」の統治がまた五年も十年も続くことになったから。

宮崎　静かなシャンシャン大会で終わるはずだったのに、西側のテレビカメラが入ったあとにハプニング的に起きた胡錦濤の「抵抗劇」によって党内亀裂の一端が世界に知られてしまった。また、中国共産党内の下部組織の中国共産主義青年団（共青団）出身のメンバーからは、李克強をはじめ誰も政治局常務委員に選ばれず、経済専門家、金融専門家がきれいさっぱり排除されましたね。

政治局常務委員は全員がイエスマン、政治局は一名減で二十四名だが、女性はゼロ。

そして改革派が期待してきた胡春華は第一副首相どころか、政治局員からも排除され、共青団の李克強と汪洋の名前は中央委員リストからも消えた。なかば永久追放！

金融方面では通貨レート、金利、外貨準備をコントロールし、市場へ通貨供給をはかるべきポストから易鋼と郭樹清が排除され、かわりに李強（ほぼ次期首相に内定）と何立峰という経済専門とは言えない人が経済政策に携わる。李克強首相は二〇二三年三月の全人代までポストを維持するけど、改革への意欲を失って、あとは野となれ山となれの心境じゃないですか。いや、失敗ぶりを冷やかに傍観する立場を得たといえるかもしれません。

石平　中国共産党規約が二〇二二年十月二十六日に公表されたけど、習近平総書記（国家主席）に忠誠を誓うスローガンは入っていなかった。「中国式現代化によって、中華民族の偉大な復興を全面的に推進する」とだけ。まだ、毛沢東並みの神聖化までは行かなかった。ただ、党規約には、台湾については「『台湾独立』に断固として反対し、食い止める」との文言があり、三期目のあと、さらに四期目を考えている習近平は、二〇二七年の党大会前の二〇二六年～二〇二七年半ばまでに台湾に侵攻する可能性も高まってきたのではないか。

温故知新――半世紀前から中共にバカにされていた日本

宮崎　その通りですね。まぁ、この党大会以降のこれから先の二〇二三年以降の中国の予測される行動については、第三章でさらに詳しく論じることにして、まず、「温故知新」ということで、この半世紀の「日中友好」という名の戦後最悪の日本外交の失敗について分析していきましょう。失敗の教訓をよく学んで、これからの半世紀で、かつてソ連を崩壊させたように、中華帝国主義を瓦解させせないと日本は、いや世界が大変なことになるからね。

一九七二年（昭和四七年）九月二十九日、田中角栄首相は北京で周恩来主席に会い日中国交正常化で合意した。保守派陣営では、田中角栄訪中反対運動が大変、盛り上がっていましたね。この前亡くなった石原慎太郎さんたちが結成した「青嵐会」は、台湾断交許すまじで、自民党内で角栄糾弾をやっていた。場所は忘れたけど、ある広い会場で、大規模な日中復交反対集会をやったことがあり、まだ二十代で若き貴公子（?）だった私もそういう集会に参加して、気勢を上げた覚えがあります。しかし、そのことを朝日新聞はじめ、どのメディアも全然、ニュースとして取り上げませんでした。逆に日本社会全体が、熱病にかかったかのように日中国交正常化フィーバーに浮かされていた。異様なことと思っていました。

訪中した田中角栄が周恩来から「言必信行必果（げんかならずしん・ぎょうかならずか）」という色紙を贈られて得意満面の姿が新聞紙上をにぎわしたとき、それは『論語』の人物評の一片で、三流の人物を表わす時に使われると指摘する人がいて、大恥を掻いたというエピソードがありましたね。そのころから、日本は中共（中国共産党）にバカにされていたわけだ。半世紀前だと、石さんはまだ生まれていないよね（笑）。

石平　いやいや一九七二年当時、私は十歳になっていて、小学生でした。私の生まれ故郷は、四川省の田舎で、当時、テレビがなく、高い鉄塔が各村にあって、そこにスピーカーが設置されていました。そのスピーカーから人民公社が有線放送を流していました。そして毎日、中央ラジオ局のニュースもそこから流れていて、その年の二月に米国からニクソン大統領が中国を訪れたとか、そして、九月には日本からも田中角栄首相が来たことを放送したので、日米の大物政治家がやってきたことは知っていました。ただ、それが、どういうことなのか、子どもだった私にはよく分からなかった。

それでも、何か変だなと感じたことがあった。というのも、小学校の先生が授業で必ず、米国帝国主義や日本軍国主義を批判して、あいつらが世界で一番、悪い奴(国家)だと教えていました。この二つの帝国主義国家は兎に角、諸悪の根源、悪魔みたいな国家だと先生は熱く授業で、子どもたちの前で語っていたのを今でも鮮明に覚えています。なのに、なぜ、その米国帝国主義と日本軍国主義国家の一番偉い人が中国にやってきて、毛沢東主席と仲良くやっているのか疑問に感じたものです。ただ、そんなことは先生たちに怖くて聞けませんでした。

宮崎　当時から反日教育が徹底されていたわけだ。

石平　子どもながら思ったのは、神聖なる北京に何しに来るのか？　こいつら(ニクソンと田中角栄)が北京に来たのなら、殺さないといけないのではないかと思っていた。そういう教育を受けてきたのです。

宮崎　北朝鮮は今もそんな過激な反米反日教育をしている。

「敵(ソ連)の敵は味方」だから、米中は手を結んだだけ

石平　あの頃、中国で受けた教育では、実はアメリカ、日本だけではなくソ連も悪いと教わっていました。しかし、今から考えて見れば、私たちが受けた教育は、その当時、中国の国際的立場を象徴していたことになりますね。

それは、どういうことかといえば、一九五〇年代に中国はソ連と同盟関係を確立して資本主義陣営と対抗していたけど、六〇年代に入ると、ソ連と喧嘩別れし、中ソ対立が激化して、近親憎悪の関係に陥った。同じ共産国がそんな敵対関係になるなんて、そんなバカなことがあってたまるものかと思った人も少なくなかったけど……。

宮崎　中ソ対立というのは、長い間続いたわけですが、当時は日本でその意義を分かっていた人はほとんどいなかった。論文で中ソ対立があることを日本で研究していた一人が玉澤徳一郎氏です。かつて自民党の国会議員で防衛庁長官になった人物でした。彼はインテリで、早稲田大学大学院政治学研究科修士課程修了で政治学修士。学生時代から左翼が大嫌いだった。

ちょうど、ワックから『政治学者、ユーチューバーになる』を書いた岩田温さんの大先輩になるね。

石平　中ソ対立が言葉でのやりとりではなく、武力衝突にもなった一九六九年のことは今でも覚えているのですが、三月に、中国とソ連が国境を挟んで、黒竜江の支流の中州にある珍宝島の取り合いとなりました。軍隊同士の銃撃戦にまで発展して死者が出る軍事紛争となった。あの頃、田舎にいた私は緊張し興奮しました。小学生だった我々も動員され、ソ連軍の襲撃に備えて、近くの山で防空壕用の穴を掘ったのです。

宮崎　今から約十四年ほど前に珍宝島に行って現場を見てきました。あんな所へ行く日本人は珍しいだろうけれども高山正之氏、樋泉克夫氏（愛知県立大学名誉教授）らと一緒でした。戦闘の面影はなく、一つの近代都市が出来ていて、ここがかつて、中国軍とソ連軍が戦った場所なのかと疑うくらい繁栄していましたね。観光ブームで、観光船がひっきりなしに運航されていた。珍宝島をロシアと中国が半分ずつに領土を分けていて、かなりの観光客が行き来していた。兎に角、観光客がゴロゴロいて、ちょっと前まで、軍事対立の最先端だったのに、そのときは、商売の話ばかりしていた。

石平　そんな武力衝突もあったけど、日中国交が正常化した一九七二年より以前、すでに中国はソ連と軍事対立する一方、アメリカともケンカ状態だった。ということは当時、中国は世界からほぼ孤立状態だったのです。国内も文化大革命という名の毛沢東による大粛清が進んでいてすさんだ状況だった。こうした状況下で、ソ連と対抗するために中国は、敵国のアメリカと日本に接近したのです。

宮崎　「敵（ソ連）の敵（米国）は味方」となったわけだ。まぁ、ニクソンにしても「敵（ソ連）の敵（中国）は味方」。米中の思惑が一致したから、ニクソン訪中となった。あの時、ニクソンの大統領補佐官として覆面外交を展開したキッシンジャーも百歳になった。この十月にも日本にのこのこやって来て岸田首相と会っていたね。

石平　さすがの毛沢東にしても、それ以外に対ソ対策はないと考えるのは当然の帰結でした。でも、中国がそういう追いこまれた状況にあったことは、子どもだった私にはまったく分からなかった。

ただあの頃、ずっと「愛国少年」として、子ども心に不思議に思ったのは、繰り返しになりますが、世界中で一番悪い国のボス（ニクソン）が何で中国に来るのか。何で、中国政府は平気で北京に入れたのか。けしからん、とさえ思ったものでした。

ニクソン訪中も「朝貢」とみなした

宮崎　アメリカも日本も、トップの政治家が、毛沢東主席に謝りに来たという見方が中国国内に広がりましたね。

石平　そうです。訪中後に、学校の先生が教えてくれたのは、台湾と付き合っていた悪い奴が、台湾を切り捨てて中国に頭を下げに来たのだと。その説明をした先生は誇らしげでした。そもそも毛沢東主席がアメリカや日本に行ったわけではなく、悪い奴が、わざわざ中国に来て毛沢東主席に頭を垂れて謝って許しを請う。それを聞いて私は、モヤモヤが溶けて、すっきりと納得した気分になった。

宮崎　昔で言えば、朝貢に来たというイメージですかね。

石平　そうですね。毛沢東主席があいつらを呼びつけて、叱ったという印象でした。お前たちよ、もう悪いことを止めた方がいいと諭したという話にしてしまった。

宮崎　卑弥呼の時代から、日本は中国へちょっと挨拶に行っているだけなのに、中国からすれば、ずっと朝貢に来た、という解釈となってしまう。

実はニクソンが訪中した時、中国空軍がそれに反対していて、アメリカの大統領専用機を撃墜するという噂が流れていた。それは、この前のペロシ下院議長の訪台と同じ構図です。彼女の場合は、かなり遠回りして台湾に向かったけど、五十年前にも、そうした物騒な情報があったのです。

そこは、当時のアメリカ政府としても相当、警戒をしたようです。重度の高い警戒態勢で、ニクソンは中国に行ったのです。

石平　日中国交正常化で記憶に残っているのは、毛沢東主席と田中角栄首相が共同記者会見をしたときの写真です。会見したその翌日、人民日報は一面を使ってその模様を報じ、当然、記事と共に両者の写真を載せました。

人民日報に掲載された二人の大きな写真は、田中角栄が毛沢東に頭を下げた瞬間を捉えたものが使用されていた。日本人は、相手と握手をする時に、ほぼ本能的にというか、自然に頭を下げるでしょ。中国側はそれをうまく利用したのです。頭を下げた田中角栄に対して、一方の毛沢東は鷹揚に構えて見せている。その写真は今でも鮮明に覚えています。この写真を見て中国国民は、やっぱり謝りに来たのかと勘違いして、我が中国は日本より偉いのだと錯覚させられたのです。

宮崎　「演出」というのは中国人にとって大事だからね。「場面」（官場《かんじょう》）の演出を作ることが大きな意味を持つ。それで思い出したのは、鄧小平があまり知られていなかった時代、共産党で一番偉いとされたのは胡耀邦だった。この二人が一緒に撮られた写真があって、それは、鄧小平がふんぞり返って座っていたのに対して、胡耀邦が直立不動で立っていたものでした。その写真を鄧小平はわざと全国に配信したことがあった。それを見た中国国民は分かるのです。本当に中国で一番、偉いのはどの人かという事が。

そういう意味合いから、習近平も演出した写真を沢山出しているけど、なんか、その時代と今も中国の事大主義は変わらないね。冒頭に指摘した胡錦濤の「強制連行（強制排除）」や、それを見て見ぬフリするしかなかった李克強のふるまいが「映像」として流れたんだから、中国国民も誰がいちばん偉いのかが一目瞭然。

とんでもないフランケンシュタインを作ってしまった

石平　もうひとつ思い出したのは、田中角栄が訪中した時に国内の宣伝（洗脳）がすごかったということです。中国が世界で一番偉くて、アメリカと日本はその属国という位置づけでした。だから、中国政府の説明は結局、毛沢東国家主席、周恩来総理は寛大な心で日本人民を許してやったのだ。だから、中国は日本からの戦後賠償は取らないことにしたという宣伝ばかりでした。

さらに、中国が国内で非常に大きく取り上げたのは、日本が台湾と断交したことでした。これこそが、中国にとって大きな外交的勝利だったのです。文化大革命から数年間経って、中国は沈没する寸前のところで一九七一年、国連に復帰を果たし、その直後のニクソンと田中角栄の相次ぐ訪中で、中国は再び国際的な孤立から脱出することに成功したのです。それだけではなくて、中国は世界の中心国家であることをもう一度、演じて見せたのです。その証拠がアメリカ大統領も、日本の首相も中国に頭を下げに来たではないか、ということになった。

宮崎 でも、日中国交正常化してから五十年経過して、中国はアメリカに迫るような軍事大国になると同時に、経済的にはGDPで日本の二倍以上を誇る世界第二の経済大国になった。

ニクソンが死ぬ前に言っていたことがあります。「我々はとんでもないフランケンシュタイン(中国)を作ってしまった」と。日本人だって、そう思っている人が多いのではないでしょうか。ようするに、日本は一九七九年から二〇二一年の四十二年間に三兆六千六百億円におよぶ、ODA(政府開発援助)を中国に与えて、中国の港湾、発電施設、病院やダム建設、地下鉄建設、貧困解消、北京国際空港の建設などに使用され中国の改革開放を下支えしてきた。

加えて、日本企業が三万社（現在、約一万三千社）も中国に行って、中国の経済発展に尽くしたわけじゃないですか。今日の中国は、日本のカネと技術を半ば恐喝するかのようにして入手し、それを駆使して巨大な経済・軍事大国になった。アメリカもお人好しだけれども、やっぱり日本はそれに輪をかけてお人好しだったと言わざるを得ない。やっと、そのことに気づき始めた日米両国は反省をして対策を練っているのが現状です。

さんざん利用して最後に平気で叩く中共の戦略

石平　私から見れば、気づくのが遅すぎます。五十年間、日本はずっと中国に騙され続けて、中国に貢いで言いなりになってきた。宮崎さんが指摘されたように幸いにして、今やっと気が付いたわけです。

考えてみれば、田中角栄の訪中からの五十年間、日中関係というのは、中国は日本を利用したい時は、うまく利用してきた。その一方で日本人は喜んで、中国に利用されてしまう。極端な話、利用されることを日本人は快感とさえ思ってしまう変なところがあった。「中国に侵略戦争をした」という間違った歴史観から発生した自虐趣味だった。鄧小平は、そんな日本をうまく利用した。おだてて利用するだけ利用して、最後にケシカランと叩く。

一九七八年八月に日中平和条約を締結して、その二カ月後に中国の最高指導者鄧小平は初めて正式に日本を訪問しました。日本から技術と資金を貰うことが目的で、鄧小平は「我々は日本に教えを請うために来た」と低姿勢を装った。

このとき、鄧小平は新日鉄の君津工場を視察し、それが上海の宝山製鉄所の基礎を固めることになったのです。次いで松下電器（現在のパナソニック）を訪ね創業者の松下幸之助に会い、中国に投資して工場設立をするように懇願したのでした。その後、松下電器はカラーテレビ用ブラウン管生産拠点として北京に工場を建設したのです。

宮崎　日産は高級車プレジデントを一台、鄧小平に寄付しました。

石平　そして、鄧小平は来日した東京での記者会見で、日本政府には尖閣問題は棚上げにすると説明。そして「我々の世代は知恵が足りませんから、この問題で話をまとめることはできません。次の世代の方が知恵はあるでしょうから、きっとみんなが受け入れられるやり方を見つけて、この問題を解決するでしょう」と発言してみせた。さらに、「歴史問題も一切、不問にする」とも述べた。さすがは大人《たいじん》（徳の高いりっぱな人は、聞く態度も大らかで、小事をいちいち耳にとめない人）だと日本のマスコミは感心したけど、それは奸計でしかなかった。まだ日米に較べて、経済力も軍事力も劣るから、領土問題はしばらくの間、棚上げにして、将来、軍事バランスが有利になったら、その時は力づくでも奪うつもりだったのでしょう。

宮崎　いわゆる「韜光養晦《とうこうようかい》」。でも完全に日米を上回る前に牙を剝き出しにしたから、再び世界の中で孤立することになってしまった。日米はむろんのこと、ＥＵも中国をロシアと同じく危険国家だと見るようになってしまった。

石平　「バカ殿様」こと習近平が早まった。せっかく鄧小平が、日本にやってきて、財界人に対して、中国には巨大市場があることを謳い、それをエサにして日本企業を積極的に誘い込むと同時に、逆に中国は依然として発展途上国であるという立場を利用して日本政府からＯＤＡ援助を引き出すことに成功し、今日の中国を築き上げた。あともう少し辛抱すればよかったのに、焦って、戦狼外交を展開することになって墓穴を掘りつつあるわけですよ。

宮崎　そして、第三章で詳しく分析しますが、二〇二二年十月の党大会で、反習近平派の「共産青年団」出身の李克強や知米派の汪洋を政治局中央委員から追放してしまったのも、自分の三選、ひいては四選を確保しようとして焦ったためとも言えます。

石平　その通りです。ともあれ、考えてみれば、ODAは日本人の血税です。その血税を使って、宮崎さんが先ほど触れたように、橋を架け高速道路を整備して、ダムや病院を造った。でも中国からそれに対して感謝の言葉は一言もありません。中国政府は日本からのODAが、様々なインフラ施設に役立っていることを、中国国民にまったく知らせてこなかった。やったのは、前述したような反日教育。むしろ、日本からのODAは「戦後賠償の代わり」という傲慢な意識があったわけです。

兎に角、日本が、中国経済発展に官民を挙げて支援してきたのは事実です。それにも拘らず、一九八〇年代に入ってから、教科書問題でまず、日本を叩く。そして八五年に中曽根康弘総理が正式に靖國神社参拝したことを外交問題にした。中国にとって日本はあまりにも都合のいい存在でしかありません。おカネが欲しい時には、「侵略戦争を忘れたのか?」などとちょっと凄んで叩けば、朝日新聞が「そうだ!」と支援もしてくれたので、いくらでも、日本は中国におカネを貢いでくれたこともあったから。

統一協会系新聞が暴いた「教科書誤報」への恨み

宮崎　中国のやり方は、非常に狡賢いというか、それなりに人情の機微をついていたよね。洗練されているわけではないが、飴と鞭というか、たぶらかしと脅しをうまく使い分けている。ハニートラップもやり放題。それって、ヤクザのやり口とまったく瓜二つだ(苦笑)。

石平　問題は、お人好し日本人が、カモにされてしまったことです。飴もそのまま食べるし、鞭もそのまま受け入れてしまう。今言った、日本の中学の歴史教科書で、中国への「侵略」を「進出」に変えたと日本のメディアが報じたら、中国が日本政府に文句を言う。進出ではなく、明らかに日本軍の侵略だと訂正を迫ったことがあった。でも、実は、日本テレビの記者の取材をもとに記者クラブ加盟各社が誤報したのであって、進出に変更された教科書はひとつもなかった。

にもかかわらず、日本政府は「近隣のアジア諸国との間の近現代の歴史的事象の扱いに国際理解と国際協調の見地から必要な配慮がされること」という近隣諸国条項を拙速にも作ってしまった。自国の教科書の記述で、近隣国に気を使う。そんな規定は、どこの国にもない話です。自分たちの国の教科書を作るのに、なぜ隣の国の意向を受ける必要があるのか。

宮崎　日本のマスコミの誤報からそんな大事件になった。朝日新聞などによる慰安婦強制連行の虚報と同じ構図でした。誤報をきちんと謝罪したのは産経新聞だけでしたね。多くの日本人は、未だにそんな修正をした教科書を出版している教科書会社が悪いと、そう思い込んでいる。あのとき、評論家の村松剛（フランス文学者。筑波大学名誉教授）さんが北京に行って、「侵略を進出に変えた出版社は一社もなかった」と説明したら、中国人の学者は一様に驚いていたとのこと。そのことを中国人学者は誰一人として知らなかったのです。報道（誤報）で誤解が誤解を生む。その誤解が蓄積されていくと、深刻な問題になった典型の話だね。

村松さんと同じく教科書誤報事件を批判した渡部昇一さんが亡くなった時、産経新聞にこんな記事が出ていた。

教科書検定「侵略→進出」は大誤報だった　「虚に吠えた中韓」暴いた渡部昇一さん　二

〇一七年四月三十日　午前八時（電子版）　渡辺 浩

渡部氏が誤報だと知ったのは、（1982年）8月6日付の世界日報の記事だった。記事は「実際は変わっていない教科書」との見出しで、教科書各社の実名を出して、検定前と検定後の記述の一覧表を掲載していた。

世界日報は統一教会（現・世界平和統一家庭連合）系の日刊紙。今は内容が薄くなっているが、当時は海外特派員も多く、反共色の強い独自の記事が豊富で、保守派の間に愛読者が多かった。渡部さんは著書『朝日新聞と私の40年戦争』（PHP研究所）で次のように回想している。

「発行母体は統一教会という問題のある団体ですが、文鮮明絡みの記事を除けば、当時は質の高い報道をする新聞で、教科書問題についても丁寧にフォローしていました」「しかし大新聞に、そのような記事はありません。どういうことかと訝（いぶか）しんでいるところに、『諸君！』の編集長の堤堯氏から連絡があり、『この問題を調べている人がいる』というので会いに行くことにしました」

それが板倉氏だった。渡部さんは板倉氏の話を聞き、この問題を世に問うことを決意した。

謝罪した産経新聞とフジテレビ

渡部さんは1982年8月22日に放送されたフジテレビの番組「竹村健一・世相を斬る」にゲスト出演し、侵略→進出の書き換えがなかったことを説明した。大手メディアでは初の明確な指摘だった。1982年9月2日発売の月刊誌『諸君！』で「萬犬虚に吠えた教科書問題」と題した渡部さんの論文が掲載され、大反響を呼んだ。タイトルは「一犬虚に吠ゆれば万犬実を伝う」（一人が嘘を言うと、世間の多くの人はそれを真実として広めてしまう）ということわざをもじっている。同じ日に発売された週刊文春も「意外『華北・侵略→進出』書きかえの事実なし！」「歴史的大誤報から教科書騒動は始まった」との記事を掲載した。

産経新聞は7日、第2社会面で「読者に深くおわびします」「教科書問題『侵略』→『進出』誤報の経過」と題した大型のおわび記事を掲載。翌8日付でも1面で「教科書問題中国抗議の土台ゆらぐ」「発端はマスコミの誤報からだった」と大きく報じた。

フジテレビは9日深夜の「ＦＮＮニュースレポート23：00」で、キャスターの俵孝太郎氏が「この時間のニュースでは、書き換えについて断定を避け、教科書問題は日本の国内問題であること、記述で大事なのはバランスだと申して一定の節度は保ったつもりですが、7月30日に文部省初中局長が『今回の検定での書き換えの事実はない』と答弁しているにもかかわらず、事実確認を怠り、広くジャーナリズムに存在している誤解、誤報を正す努力をしなかった点は素直に認め、誠に遺憾に存ずる次第です」と述べ、深々と頭を下げた。

誤報と分かったことで中韓の抗議は収束したが、その後、宮沢談話に基づいて検定基準に「近隣のアジア諸国との間の近現代の歴史的事象の扱いに国際理解と国際協調の見地から必要な配慮がされていること」という「近隣諸国条項」が加えられ、歴史教育に禍根を残した。

石平 教科書誤報といい、慰安婦誤報といい、日本のマスコミの言論責任は大きいものがある。

宮崎 いま、安倍さんの暗殺がらみで旧統一協会が叩かれ、その系列新聞の「世界日報」の取材に応じた政治家がやりだまにあがったりしているよね。でも、それは四〇年前の教科書誤報事件をいちばん最初に指摘した「世界日報」への恨みから発生しているともいえるね。うがった見方になるかもしれないけど、自分たちに恥をかかせた統一協会系への反撃のつもりかもしれない。

天皇訪中が中国共産党を救った！

宮崎　ところで、話を戻すと、日中国交正常化五十年記念のセレモニー（二〇二二年九月二十九日）は実に寂しいものでした。日本では、東京のホテルで経団連が中心の委員会が式典を開きました。当日、ひな壇にずらりと並んだのは、自民党の二階俊博元幹事長、福田康夫元首相、河野洋平元衆議院議長、林芳正外務大臣、経団連の十倉雅和会長、そして中国からは孔鉉佑駐日大使だけで、乾杯の音頭を取ったのは河野洋平氏。

出席した経済界の関係者ら約八百五十人とともに中国の国酒「貴州茅台《マオタイ》酒」で乾杯をしたわけですが、岸田文雄首相は式典に出席せずに習近平国家主席とのメッセージを交換したにとどまった。また前夜祭を日本でやったのですが、主賓は福田康夫氏と田中真紀子氏で、まったく盛り上がりに欠けたものでした。

蛇足ですが、茅台酒って、最低でもボトル一本、三万円しますよ。貴州の飛行場の土産屋に一セット十万円でずらり並んでいたものです。

中国でも釣魚台迎賓館において記念式典が開催されましたが、節目の式典には人民大会堂を使うのが通例（過去、三十周年、三十五周年、四十五周年ともに人民大会堂）だったことから現地では驚きの声が上がりました。

さらに共産党幹部ではない全国人民代表大会（全人代）常務委員会の丁仲礼副委員長らが中国の代表として出席したわけですが、今回の式典は明らかに「格下げ」、冷遇されたのは明らかです。

日本側は垂秀夫大使が出席し、中国に進出した日本企業の代表も駆けつけましたが、出席者は二百人。三十周年は五百人、三十五周年は六百人、四十五周年の三百人に比べても大きく減った。しかも、四十五周年のときは共産党の大物である唐家璇元国務委員らが出席したのに、中国側は小物ばかり。今回は日中両国いずれも祝賀ムードに乏しかった。当然のことでしょ。

石平　私からすれば、そういう式典がある事自体がおかしい。というのは、式典のあった一月半前の二〇二二年八月四日に、中国は台湾に対して軍事演習と言いながら九発ないし十一発の弾道ミサイルを発射させ、このうち五発が日本のEEZ（排他的経済水域）内に着弾した。それは、どう考えてもわざ（意図的に）と日本へ撃ち込んだと言わざるを得ない。台湾に向けて撃ったといいながら、発射したミサイルの半分以上が日本に着弾したわけで、明らかに日本に向けて撃ったことになる。中国のやっていることは、ようするに日本国を明らかに敵国扱いにしているということです。日本の領海ではありませんが、EEZに撃ち込んだということは、国際法上、日本を侵略したと理解するのが妥当だと思う。この行動こそが、中国共産党の日中友好五十周年に対する、〝ホンネの総括〟だと考えていいと私は思っています。

しかも、八月にカンボジアで会談する予定だった日中外相会談は中国側の一方的なキャンセルで急遽、取りやめになったじゃないですか。これは外交上、あり得ない話で、非常に無礼だ。中国共産党系メディアの環球時報は九月二十八日の社説で「中日間の不信感と疑念は過去五十年間一度も見たことがないほどだ」と指摘していました。

結局、五十年間の日中関係で、日本の中国に対してやってきたこと、とくに安倍政権以前は中国の言いなりになって、中国が日本をさんざん利用しながら、その一方、歴史問題などで日本を叩く。それだけだったと言っても過言じゃない。日本が中国を大いに助けたのが一九九二年、天皇陛下の中国ご訪問でした。これで、中国は国際的孤立から脱出できたのです。中国はこのように日本に助けてもらいながら、しかし、国内では反日教育を行った。反日感情を作り出したのも、この時代からです。

宮崎　その背景には何があったの？　当時、石平少年はもろにその教育を受けたんでしょ。

石平　一九八九年の天安門事件が決定的な要因でした。中国共産党政権の鄧小平たちは、自由を求めた学生に対して、戦車を使って圧殺した。「血の鎮圧」と呼ばれていますが、共産党政権はそのおかげで、難局を乗り越えて国内の混乱状況を収拾することが出来たわけです。

しかし、愛国の若者たちを大量に虐殺した事実が国民一般に広く知るところになって、共産党の威信が地に堕ちた。そのあと、ベルリンの壁が崩壊し、ソ連も崩壊した。国民における共産党政権の求心力は完全に失われてしまっていたのです。

そこで鎮圧の直後に成立した江沢民政権は、共産党の求心力を取り戻すために、どうしたか。中国国民を束ねるため「愛国主義」という新しいイデオロギーを持ち出したのです。そして「愛国主義精神の高揚」を図るための手段として、江沢民政権は国民を対象に「反日教育」を展開した。

反日の洗脳教育を行って日本という国を「憎むべき外敵」に仕立てて、国民の愛国情念を煽り立てていく。そのために江沢民政権は一九九〇年代に「愛国主義教育実施綱領」を制定して全国の大高中小学校で「反日教育」と、「愛国主義教育」を全面的に展開しました。

その一方、中国共産党政権は新聞・出版・映画・テレビなどあらゆるメディアや媒体を総動員して、全国民を対象に凄まじいまでの反日洗脳教育を行ったのです。

宮崎　その体験は、孫向文さんが『中国人の僕が日本に帰化した理由』（ワック）で書いているね。でも、彼は日本のアニメ番組を見て、教師の言う反日教育に疑問をもって、親日派になり、日本人に帰化した。でも、そういう中国人は例外中の例外でしかなかった。

石平　そうそう。私も、そうした中国に愛想を尽かした体験を『［新装版］私はなぜ「中国」を捨てたのか』（ワック）で書いた。そこでも指摘しましたが、反日教育の最大の特徴はすなわち、日本という国と日本民族を凶暴な「悪魔」のような存在に仕立てて、人々の日本に対する増悪感情を極力煽り立てていくことです。

どういう教育をしたのか。たとえば当時、上海の一流大学で教師をしていた尹協華という研究者は、『日本の秘密』(中国電影出版)という書籍を刊行して、その中で、「日本はもっとも危険な軍国主義国家」だと論じ、「野獣」とか「悪魔」といった極端な言葉を平気で使って日本を罵倒しました。その挙句の果て「野獣はいつの日か必ず人を食う」との結論にしたわけです。日本人を「人食い」に仕立てるなど、あり得ない話をもっともらしく、解説・説明したのでした。これは、あからさまに人種差別的な言い方であり、日本民族の事を強烈に罵倒するものでした。

そして肖季文氏など三名の学者が書いた『日本・罪を認めたくない国』という書籍は、日本人の「偏狭心理」こそが「軍国主義精神の根源」であると断言した。その理論的展開において著者たちは、「このような偏狭心理に支配されている日本民族は、野蛮的・凶暴的・貪欲的になっている」と断罪し、赤裸々な民族差別の暴言を用いて日本を攻撃した。その結果、一九九〇年代から中国国内で反日感情が生まれて、広がったというのが歴史的経緯です。

「恩を仇で返す」中国はナチスより酷い

宮崎　ナチスヒトラーの「反ユダヤ政策」と同工異曲。特定民族（日本人）に対する嘘八百で反日感情を煽るとは……。中国はよく、「恩を仇で返す」といわれるけど、まったくナチスより酷い。ウイグルでもユダヤ人弾圧と同じ強制収容所を作って、民族ジェノサイドをやっているんだから。

石平　そうですよ。また、一九九八年十一月、江沢民は中国の国家主席として初めて国賓として日本を訪問した。天皇訪中から六年も経った時です。そのころには、中国は天安門事件以来、疲弊した国内経済の立て直しにある程度成功し、しかも当時、アメリカのクリントン政権と良い関係を作り上げて、中国の国際的立場はかなり改善されていた。

考えてみれば、その六年前は日本に泣きついて助けてもらったわけです。しかし、六年経ったら自分たちは日本と比べて優位に立ったと判断した途端、江沢民は日本訪問中、各地至る所でいわゆる「歴史問題」を持ち出して激しい日本批判を行ったわけです。それと同時に終始一貫、威圧的で、横暴な態度を貫いたのでした。

宮崎　日本人として、もっとも許し難いのは、天皇陛下主催の宮中晩餐会での江沢民の無礼千万の振る舞いだったね。

石平　宮中晩餐会は礼儀に沿って、ホスト役の天皇陛下をはじめ、男性の出席者全員はブラック・タイの礼服を着用します。それに対して、江沢民一人だけ、黒い人民服を身につけて厳しい表情で臨席し、天皇陛下に対する非礼な態度を露わにしたのです。

晩餐会でのスピーチで江沢民は何と「日本軍国主義は対外侵略の誤った道を歩んだ」云々と言って、天皇陛下の前で、公然と日本批判をし、日本国と天皇陛下の両方を侮辱したわけです。

それが、「恩を仇で返す」ことの典型。天皇陛下の訪中で中国は世界的な孤立から脱出でき、まさに「命の恩人」なのに、江沢民はそれを仇で返したのです。そのことを日本人は忘れてはいけない。その江沢民政権は十三年間も続き、終わったのは二〇〇二年でした。

反日感情は一気に表面化する

宮崎　この反日感情は、今でも何かのきっかけがあれば、一気に表面化するでしょうね。

石平　その通りです。反日感情が中国で広がって、二〇〇五年になると上海、北京、広州で、大規模な反日デモが起きて、中国全土に反日暴動が広がったことがあります。その時、北京の日本大使館や上海の日本領事館も襲撃されました。その時、大規模な反日デモに発展したキッカケは何だったのか。

日本が中国に対して何か、悪いことをしたのでは決してない。また中国に酷いこと、無礼なことをしたわけでもない。それ以前からの小泉首相の靖國参拝やらいろいろとあったけど、いちばん許せなかったのが、国連のアナン事務総長が「日本を国連の常任理事国に入れてもいい」と二〇〇五年三月に発言したことでした。それが、大暴動の理由、キッカケだったのです。それだけの話。くどいようですが、日本が中国の国益を損ねたわけでも何でもない。だから言えることは、中国人の日本人に対する認識は癌患者よりもっと酷い「病的状況」にあったのは事実です。本当に病気ですわな。

宮崎　あの反日デモも酷かったね。

石平　アナン発言の翌日、二〇〇五年三月二十二日、尖閣諸島の中国領有を主張する民間団体「中国民間保釣（釣魚島保全）連合会」のホームページで「日本の常任理事国入りを阻止せよ」とのスローガンを打ち出して反対運動を呼びかけ、それを受けて当日の夜から中国国内の三大ポータルサイトである新浪網、捜狐、網易が相次いで自社サイトで署名用ページを開設して、日本の常任理事国入り反対のネット署名を募り始めたのでした。

三月二十六日の夜になると、三大ポータルサイトに集まった署名数は三百万人を軽く突破し、二十八日午後、ついに七百万に達してしまい、まさに燎原の火の勢いのようになったのです。

その一方、全国の大学では、様々な形の反対運動が一斉に展開され、それを伝える多くの記事のタイトルが中国国内の新聞各紙の一面を飾りました。具体的に、どういうタイトルか。たとえば「広州市街地で一万人署名、日本の常任理事国入り反対」「鄭州市中心地に一万人集まる、日本の常任理事国入り反対」「深圳市民が自家用車で車列デモ、日本の常任理事国入り阻止」「北京大学生、日本大使館に反対署名提出」「四川師範大学一万人署名」「成都市民数万人反対署名」「貴陽市民二万該当署名に参加」などです。

宮崎　そして、署名活動だけじゃなくて、破壊活動を始めた。

石平　この流れの中で、反対活動はますます激化して店の打ちこわしなど、暴動がエスカレートしていった。西南地域の大都市である成都では四月二日の夕方、数千人の若者たちが、市街地で反日デモを繰り広げて、日系スーパーのイトーヨーカ堂の前に集まり、彼らは「日本製品のボイコット」を叫びながら石やパイプを使ってショーウィンドウを打ち壊したのです。

四月三日、広東省の深圳でも大規模な反対デモが起きて二千人ほどの参加者が　中心部の広場に集まって反対集会を開きました。二手に分かれて市内をデモ行進し、その中の一つが目指したのは日系スーパーのジャスコでした。目的地に着くと彼らは「日本の常任理事国入り反対」などと叫び店の看板とか休息コーナーを壊して気勢を上げたのです。

さらに言うと四月九日、首都の北京での反日デモは一万人以上、四月十六日の上海で起きた反日デモは二万人に達し、日本総領事館を目指し行進し、総領事館に到着するや否や、参加者たちはさっそく暴徒と化した。上海市内の中心部にあった、日本料理店や日系コンビニなど、十数軒以上の日系店舗が破壊された。北京の反日デモを上回る最大規模の被害となったのです。

このようにして三月二十三日から始まった国民的反日署名運動は数週間のうちに大規

模なデモ活動に発展して、無法の暴動にまでエスカレートした。それは、もちろん中華人民共和国が建国して以来、最大規模の反日運動でもあり、例の天安門事件以来、中国国内で起きた最大級の群衆運動でした。

宮崎　このように反日で盛り上がるのはなぜ。

石平　これは、一九九〇年代以来、中国共産党が行った反日教育の大いなる「成果」であり、反日教育の総決算というべきものでした。江沢民政権が撒いた「反日」というタネが、胡錦濤政権時代になって大きく開花して実ったという格好です。これは、日本が何か、中国国民の感情を傷つけたわけでもないのに、ここまで、反日運動を展開するのは、一種の狂気だと言わざるを得ません。これは、二〇〇五年にあった実際の話ですが、いつまた、こうした暴動が中国国内でおきるかどうか、分からないのです。反日教育の土壌は今でも残っています。

日中国交回復五十年を回顧する意味合いから、「反日教育」の実態として、二〇〇五年の暴動を振り返りましたが、そういう歴史があった事を我々は決して忘れてはいけないと思う。

「歴史記念館」を「反日記念館」にして強制動員!?

宮崎　それ以前から中国では反日感情が広がっていて、江沢民は全国の歴史記念館をすべて、反日記念館に変えてしまった。かなりおカネを投じて改装した。その象徴が南京の虐殺記念館だけれどもね。それで私は実際に反日記念館なるものを見て回りました。二十五、六ケ所ほど観た。水谷尚子（明治大学准教授。中国現代史専攻）氏が数えたら、中国全土に二百五ケ所あるという。それを聞いたら、全部は回れないなと思って途中で止めてしまった（苦笑）。この反日記念館に勤めていた職員はすべて公務員で、恒常的に開館しています。でも、私が行ったときには中国人は誰も観に来ていなかったね。だから、当局が強制的に見学日をもうけて、警官や軍人たちを見学させていると係りの人が教えてくれました。

石平　全国の小中高校生もその記念館に強制動員されている。

宮崎　たまたま、軍隊の参観日に当たったことがあって、面白かった。みんなうわの空で「はぁ、はぁ」と、まともに聞いている軍人は誰一人いなかったよ。「今日はこれ（見学）

が終わったらフリーだから、(どこそこへ)飲みに行こう」としゃべっていました(笑)。

兎に角、石さんが解説してくれた二〇〇五年の反日暴動の時、私も『中国よ、「反日」ありがとう!―これで日本も普通の国になれる』(徳間書店)という本を書いた。あの事件のおかげで、日本人の健全なナショナリズムも多少は復活し、安倍政権につながった面もなきにもしもあらずだからね。


石平 逆説的な意味で、日本のナショナリズムに火をつけた張本人が間違いなく江沢民でしたね。前述したように一九九八年、国賓として来日した時の彼の天皇陛下に対しての無礼な振舞いが大きい。

実はそれ以前の一九九二年に、江沢民は国家主席としてではなくて、共産党総書記として来日したことがある。その頃の江沢民は、日本人関係者に愛嬌をいっぱい振りまいて、媚びを売るような態度を取っていた。

というのは、江沢民が一九九二年に来日した最大の目的は、天皇訪中を実現させることでした。だから、ひたすら日本に頭を下げた。それが、しかし一九九八年になると豹変する。それは中国の伝統的な態度ですね。助けを求めたいときは愛嬌いっぱい、いくらでも腰を低くする。しかし、一旦、自分が有利な立場になると、もういきなり、横暴で傲慢となって相手を上から目線で見下ろす。それを日本人は理解し始めたのでしょう。

NATO諸国も日本主導の反中包囲網に参画！

宮崎　心理的にも、天皇問題は一番、センシティブな問題で、それを日本人は心の奥深くで持っています。

「習近平一強」で、ますます傲慢になっている中国が次に何をするか、想像できるよね。そのいいカモが韓国だ。アメリカのペロシ下院議長が台湾訪問後に韓国へ訪問したとき、尹錫悦大統領は休暇中と称して会わなかった。ところが、ハリス副大統領が安倍さんの国葬に参列したあと韓国を訪問した時には、ちゃんと会っている。

つまり、中国に配慮して台湾を訪れたペロシには会いませんでしたとアリバイ作りをしたわけだ。ものすごく、中国の顔色を窺っている。中国も同様に強い者にはシッポを巻くけど、日本や韓国や台湾が相手なら、少しでも弱みを見つけると叩くというわけだ。だから、日本が弱いと思わせないためにも、防衛力強化をする必要がある。

ともあれ、中国とつきあい出して、この半世紀、日本は常に中国に騙され続けたということにつきるね。

問題はこの後、どうするかだ。アメリカは、ウイグル問題などもあって、軍事的にも人権的価値観でも、超党派的に中国と対決するというムードに切り替わった。しかし、ウクライナ戦争が起きてしまった。これで、軍事的な面では、ちょっと、また先行きが見通せなくなってきた。その辺は、石さんは、どう分析していますか？

石平 ウクライナ戦争が起きる前までに、対中包囲網が出来上がっていたのです。その点、安倍晋三元首相の功績は大きかったと言えます。安倍首相のレガシーの一つに、第一次安倍内閣の時ですが「インド太平洋構想」という概念を持ち出したということがある。中国周辺の国々が連携して何とか、中国の暴走を抑え込んで、国際秩序を守るという体制が完成したわけですね。

それがキッカケとなり、クワッド（「Ｑｕａｄ」英語で四つの意味。日本、アメリカ、オーストラリア、インドによる安全保障や経済を協議）という枠組みが誕生しました。だから、今回の安倍元首相の国葬にインドのモディ首相、オーストラリアのアルバニージー首相、そしてアメリカのハリス副大統領がわざわざ、弔問のため来日したのです。

そして、二〇二一年十一月、新たにオーカス（「Ａｕｋａｓ」オーストラリア、イギリス、アメリカの三か国の軍事協力体制）が出来た。これは太平洋地域における西側諸国の軍事プレゼンスを強化することを目的にしていますが、狙いは明らかに中国包囲網です。

こうした中、注目すべき歴史的な出来事が起きたのです。二〇二一年六月にＮＡＴＯの首脳会議が開かれて、その首脳宣言で初めて中国を名指しで批判したことです。これまで、ＮＡＴＯは中国とはあまり関係なかったし、関心もなかった。ＮＡＴＯはそもそも主に旧ソ連の脅威から西ヨーロッパ諸国を守るための軍事同盟でしたから。

それでも、中国の野望と行動は我々（ＮＡＴＯ）の秩序に対する体制上の挑戦、脅威だと、位置づけたのでしょう。こうした中、ドイツ海軍やイギリス海軍、フランス海軍などヨーロッパ各国の軍艦が、インド太平洋、その周辺の海にやってきて日本の海上自衛隊と共同訓練をしたのです。その訓練にアメリカ海軍も参加しました。こうして中国包囲網は一段と強化されることになったわけです。

こうして見ると、近年は見事なまでに、ほぼ西側諸国全員参加型で対中包囲網が完成したわけです。ところが、二〇二二年二月にプーチンがウクライナを侵攻し、起こるべきではない戦争がはじまるとその国際状況に変化が見られるようになってきたのではないか？

宮崎　幸か不幸か、国際情勢は急激に大きく変わってしまった。そのウクライナ発の国際情勢の急激な変動については、次章で論じ合いましょう。

第二章

習近平とプーチンの「帝国復活」への野望

ウクライナから台湾への連鎖

「漁夫の利」を得た中国

宮崎　前章の最後でも触れたように、二〇二二年二月に勃発したウクライナ戦争によって、それまで「中国がいちばん悪い国家」となってきた国際社会の認識が大きく変化してしまった。「ロシアがいちばん悪い国家」という印象になって、すでに一年近くなろうとしています。今後、〝停戦〟になっても「ロシア＝最悪」というイメージはしばらく残存していくでしょう。

ともあれ、ロシアのおかげで、中国の国際的な立場は、かなり優位になった。というのは、まず、中国と正面切っての敵となりつつあった西側諸国が、ウクライナ支援のために「力」を削がれてしまった。ウクライナへの資金援助もしなくてはならないし、兵器も在庫処分ではありませんが、相当渡しました。イギリスはジョンソン政権時代からシャカリキになってバイデンの先を行く勢いで、ウクライナを支援した。でも、戦争が始まってから半年も過ぎたあたりから疲労感が表出しだした。スナク新英首相はインド系だけど、それほどウクライナへの執着はないのでは？　最大のウクライナ支援の中心はアメリカですが、二〇二二年十一月の米中間選挙で民主党が敗北（下院）し、孤立主義傾向の強い共和党は支援をしぶりだしている。

これはトランプ前アメリカ大統領が言っていたのですが、「私（トランプ）が大統領だったころウクライナ援助は三億ドル程度。それがウクライナの返せる額だった」というわけです。しかし、今の援助は返せるどころの額ではない。多くはアメリカの出費、持ち出しとなります。ウクライナに供与した分の虎の子のHIMARS（ハイマース、自走多連装ロケット砲）は使い切っちゃった。アメリカは、今後どうするのか。いずれにしても、アメリカの国力（軍事力）もウクライナ支援のために低下し、対中政策のパワーが低下しているのは否めない。ウクライナの小麦輸出も滞ったりしたために、国際的な食糧等の物価高・インフレも進行し、日本も影響を受けている。

日本も含めた欧米諸国が束になって、ロシアに経済制裁しても、中国が今、石油を格安の値段でロシアから大量に輸入している。そのお陰で中国の石油備蓄量は八十パーセントも増え、助かっています。しかも石油代金の決済を中国の送金ルート＝CIPSでやっているから中国にとっては非常に有利です。ドル負担がそれだけ減るんだから。

もうひとつ、ロシア制裁に加わっていないトルコ、イスラエルやBRICS（ブラジル、ロシア、インド、中国、南アフリカ）諸国も漁夫の利を得るという意味からしても、このウクライナ戦争は、米国の中国封じ込め戦略にとって、かなり大きな障害物となっていますよ。

石平　さらに「台湾有事は日本有事」と喝破していた安倍元首相の暗殺まで起きてしまった。中国では、習近平暗殺なんてことはちょっと考えられない。

宮崎　いや、中国の歴史でも、皇帝暗殺ということはありうる。でも、習近平の場合は、軍が裏切らない限り、それはないでしょう。二〇二二年十月の党大会で、政治局に中央委員会に軍事委員会、規律委員会、司法、警察、公安など、権力機関は全部掌握したのだから、暗殺されようがない。警察・司法を統括する党中央政法委員会トップの書記に陳文清がなった。彼は習近平の反腐敗闘争を支えて福建省で要職を務め、党序列二十四位内の政治局員に昇格しました。

石平　中には面従腹背も若干、あるかもしれないけど……。

宮崎　習近平は着々と十年をかけて完全なる独裁政権誕生に手を打ってきた。目の上のたんこぶだった胡錦濤はむろんのこと、九十三歳の江沢民は車いすで動けないし恐いものはない。暗殺はむろん、クーデターもまずありえない。暗殺しようにも習近平にはボディガードが十六人もついているから難しい。安倍元首相の護衛とは比べ物にならない体制だ。

韓国の朴正熙大統領も暗殺されたけど、ああいう中途半端な半独裁国家だと、暗殺も可能だけど、完全な独裁国家になると、スターリンや毛沢東や金日成のように死ぬまで独裁者として君臨するのが普通。ロシアも朴正熙時代の韓国のような「自由と民主主義」はあるから、プーチンなら暗殺される可能性もあるかもしれないが、習近平はちょっと考えにくい。むしろ身内の裏切りが出てくるでしょう。なぜなら周辺のイエスマンは佞《ねい》臣《しん》ぞろい。いずれ密告、讒言《ざんげん》で誰かを追い落とす〝内ゲバ〟を始めるでしょう。

習近平の支援をアテにして戦争を開始したプーチン

石平　ともあれ、宮崎さんが指摘されたようにプーチンがウクライナ戦争を始める前には、前述したように、自由世界（西側諸国）が力を集中して中国に対処するというカタチは出来ていた。しかし結局、ウクライナ戦争で西側もかなり力を割いてロシアに対処しなければいけなくなった。つまり主敵が中国とロシアという二つ出来たことになる。

いずれにしても当面の間、西側諸国はまずロシア対応に追われてしまうことになった。

さらに、ウクライナ戦争によって、ロシアの対中国の立場が極めて弱くなったということも大変化の一つですね。これまでロシアはソ連が崩壊し領土などが縮小しても、まだ軍事的にはアメリカとならぶ「大国」だという神話があった。でも、それが半ば崩壊してしまった。ロシア軍が予想以上に弱く、ウクライナ相手に手こずっている。ロシア製武器もさほどの性能がなく、イランから無人ドローン自爆機を買ってキーウに飛ばしたりしている。西側から経済制裁を受け四苦八苦。辛うじて石油を買ってくれる中国サマサマという感じで、すっかり、プーチンと習近平の立場は逆転してしまった。

宮崎　中国内のロシア・スクールは予想をはずし、まったく影響力をなくしたという情報もあります。

石平　実は二〇二二年、ウクライナ戦争が始まる前までは、むしろ、習近平がプーチンの背中を見ながら、ロシアのあとをついて行く、という関係だったのです。国際政治においても習近平にとってプーチンが大先輩であった。

当然、独裁者としてもプーチンが先輩。ですから、二〇二二年二月四日にプーチンが習近平のメンツを立てて北京五輪（冬季）の開幕式に出席したら、習近平は熱烈にプーチンを歓待しましたよね。プーチンと習近平会談で、中国とロシアは背中合わせ（表裏一体）であり、一緒に欧米諸国に対峙することで合意まででした。

宮崎　あのとき、習近平はウクライナとの戦争について、かなりプーチンの背中を後押ししたと言われている。

石平　実際、二〇二二年二月四日の首脳会談が終了した直後、中国はロシアから天然ガスを大量に輸入すると発表しました。プーチン大統領はこの会談で年間百億立法メートルの天然ガスを極東から中国に供給する新たな取引を提示し、習近平の了解を得ていた。すでに二〇一九年から供給を開始しているパイプライン「パワー・オブ・シベリア」と、海上輸送によってロシアは中国に二〇二一年は百六十五億立法メートルのガスを中国に輸出していましたが、二二年はそれに、上乗せされることになりました。

また、ロシアにとって中国は原油の主要な輸出国であり、二〇二一年は七千十万トン（ロシア総輸出量の三十・六パーセント）、総額にして三百四十九億ドルにも及ぶ輸出を記録し、五年連続してトップでした。二〇二二年初めにロシアは中国に一億トンの原油輸出する契約を結ぶなど、間違いなく今後とも増加する可能性が高いのです。

ちなみに、中国の税関総署が二〇二二年九月二十日に公表した数字では、八月のロシア産原油輸入量は八百三十四万トンと前年同月比で二十七・七パーセント増と五カ月連続の増加となる一方、液化天然ガス（LNG）も八月は六十七万トンと同じく三十六・七パーセント増えました。これはロシアにとっては西側諸国との取引減を補う効果があったといえますね。中国のおかげでロシア経済はもっていると言えます。

宮崎　エネルギー分野だけではなく食料分野でも中国は実質的にロシアを支援している。

石平　その通りです。プーチンが戦争に踏み切った二〇二二年二月二十四日の翌日（二十五日）に中国国務院は、ロシアからの小麦粉の輸入を全面的に開放すると発表しました。これまで検疫などの理由から地域を限定してきたが、それを取っ払いロシア全土の生産地から輸入できるように広げたわけです。もともとロシアは世界最大の小麦輸出国ですが、欧米の経済制裁で影響を受ける可能性があるため、中国が輸入を増やし全面的にロシアを支援することにしたのです。

中国黒竜江省は極東ロシアの農産物貿易を担っている拠点の一つですが、同省の有力メディア『東北網』は「二〇二一年は五万五千トンの輸出に過ぎなかったロシア産小麦は二〇二二年には百万トンに増加し、将来さらに増える見通しだ」とするロシア穀物輸出商団体当事者のコメントを掲載しました。

宮崎　戦争勃発当時、習近平のロシアの肩入れは尋常ではなかったからね。

石平　特筆すべきは習近平とプーチンとの会談（二〇二二年二月四日）において、習近平はＮＡＴＯ拡大反対というロシアの立場を理解し、支持することも明らかにしていました。

だから、会談の共同声明で「両国は、政治や経済による同盟が他国の安全を犠牲にして一方的な軍事優位性を追求することは、国際的な安全保障秩序と世界の戦略的安定を著しく損なうと考える」としたうえで「ＮＡＴＯのさらなる拡大に反対する」と明記しました。ＮＡＴＯがこれ以上、拡大しないことを法的に保障するよう、ロシアがアメリカなどに求めていることについて「中国側は共感し、支持する」とまで言い切ったのです。

いずれにしても、プーチンとしてはウクライナ開戦前に、ロシアの安全保障上の懸念について中国の習近平国家主席から直接、支持を取り付けたわけです。この戦略的意味合いは大きいと思います。

そして、プーチンがウクライナ戦争を開始した当日、中国の王毅外相がロシアのラブロフ外相にわざわざ電話をかけて、「ロシアの安全保障問題上の合理的な懸念を理解する」と、ロシアの戦争を事実上、支持すると伝えたのでした。そのあと三月に両者が会談した時も、「アメリカなどがロシアに科している違法で一方的な制裁は逆効果だ」とする認識で一致したりしています。

プーチンの内心は誰にも分からないけど、ある意味、習近平との二月四日会談で習近平の後押しがなかったら、プーチンはウクライナ戦争に踏み切ったかどうか分かりません。少なくとも、この会談で、プーチンが心強くなり、ウクライナ戦争に踏み切った可能性は高いと私は見ています。その意味合いからして、今回のロシアによるウクライナ侵略に対する中国の責任はかなりあります。

中国は一貫してロシアによるウクライナ戦争を一切、批判しません。国連のロシア非難決議にも賛成票を投じていない。暗にロシアを支援しているのです。

ウイグルが忘れ去られウクライナに関心が

宮崎　世界の関心が、ウイグルからウクライナに移った。ウイグル強制収容所の悲劇はカメラに撮影されないけど、ウクライナの避難民の光景はテレビ画面に出る。「ロシアは酷い、ウクライナ可哀相」となった。中国にとっては、悪役変更で本当に得をしたと言えます。

石平　しかし、短期決戦でウクライナが敗北すると思いきや、思いのほか長引くと、プーチンは益々中国に依存するしかなくなった。そして場合によって、西側諸国の経済制裁がさらに長く続くと、ロシア（経済）は中国（経済）の属国になってしまう公算が大きい。まず、起こりうるシナリオとしては、ロシア経済は人民元の決済圏に入る可能性がありますね。ロシアはモノを買うのも、売るのも、主に中国に対してだけになると、経済面でも政治面でもロシアと中国の立場は明らかに逆転してしまうのです。

そうなると、ロシアはますます、中国の野望に協力しないといけなくなる。たとえば中国が台湾に手を出すとき、ロシアも何らかの形で協力せざるを得なくなってしまうでしょう。

宮崎　それもあってか、日本海などでよく中露は共同の軍事演習を最近やってるよね（苦笑）。

石平　この上下（主従）関係の逆転がいみじくも明確に現れたのは二〇二二年九月十五日です。この日、中央アジアのウズベキスタンで中国が主導する上海協力機構（SOC）の首脳会議が開かれました。この会議に合わせウクライナへの軍事侵攻後初めて習近平とプーチンが会談を行ったのです。プーチンとしては経済面や軍事面で連携を確認し、習近平から協力を取り付けたいという狙いがあったのは当然ですから、プーチンは「世界は急速に変化しているが、中国とロシアの友好だけは変わらない」と強調し、習近平へラブコールを送った。しかも、会談の冒頭にプーチンは「ウクライナ危機に関する中国の懸念を理解している」と語り、中国に配慮を見せたのでした。こういう配慮は過去にはなかった事です。

そして最後にプーチンは「我々は一緒に頑張ろう」と言って、習近平に泣きついたのでした。が、無視されてしまった（笑）。中国としても「悪役」のロシアとあまり一体化するのも拙いと考えてのことでしょう。

二〇二二年二月四日の会談では「限界のない友情を共有する」と共同声明を出し、両国の密接な関係を世界にアピールしたばかりでした。習近平のあまりの豹変ぶりに驚くばかりですが、国際情勢の厳しさを教えてくれます。これは日本にとってもいい教訓となるでしょう。

宮崎　二月の会議とは異なって九月は共同声明も出ないままに終了したね。しかも、中国側の発表では、ウクライナに関する習近平の直接的な発言はないうえに、会談後の晩餐会や記念撮影にも習近平は姿を見せなかった。閉会するとさっさと中国に帰国してしまった。あいかわらず、中共の首脳というのは、前述したように、江沢民もそうだったけど、外交上、物凄く無礼なんだ。

しかも、SOCは閉会日にサマルカンド宣言を採択しましたが、ウクライナに関する文言は一言もなく、会議全体がロシアを無視した形となった。

こうした一連の事象を見ると、中国は安全保障分野でロシアと一枚岩であると世界から見られることを、避けたいという思惑があるのが透けて見える。

中国の「環球時報」は二〇二二年九月十六日の社説で「中露は反米同盟を作ってはいないのに、(中略)中露を一緒くたにして、叩こうとしている」とアメリカに反発したくらいです。

中国はロシアからのエネルギー輸入などで協力していますが、米国や欧州連合(EU)主導の対ロシア経済制裁を骨抜きにするような措置はさすがに取っていない。ロシアは武器を必要とし、イランや北朝鮮に武器の提供を打診していることが明らかになっています。当然、中国にも武器供与を打診しているはずですが、中国が(武器供与に)同意している気配はいまのところありません。そこまでロシアとズブズブの関係になるのは損だと思っている証拠でしょう。

石平 自分のほうが偉いと思い出したからこそ、出来る振る舞いですね。

宮崎 面白いことに、中国メディアの取り上げ方も、ロシアに徐々に冷たくなった。人民日報の二〇二二年九月十六日付一面トップを飾ったのは習近平と議長国ウズベキスタン大統領の首脳会談。中露会談の記事はその下に掲載され、扱いはすこぶる小さいものだった。これまでなら、一面全部を使って習近平とプーチンの会談模様を伝えていたはずなのに、この豹変ぶり。

また、中国中央テレビも同様にウズベキスタンの大統領と習近平の会談は大々的に取り上げましたが、プーチンと習近平の会談は他の加盟国首脳会談と同等の小さな扱いで目立たなかった。つまり中国は、相手が弱いと見ると、露骨に見下して扱う嫌らしい国家なのです。

中国が急に冷たくなったのはプーチンがウクライナのドネツク州などで「住民投票」を実施し独立を問うたからです。中国にとって南モンゴル、チベット、ウイグルで住民投票なんぞ実施したらどうなるか。独裁の基盤を脅かす行為ですから。

上海協力機構(SOC)首脳会談の感想をちょっと言わせてもらうと、今回はウズベキスタンが主催国なのに、同国の大統領がどこにいるのか良く分からなかったね。またSOCはメンバーを増やしていることもあって（今回はイランが加盟国に）、相対的に中国とロシアの存在が薄くなってきた印象はある。逆にこの会議に乗り込んだトルコのエルドアン大統領が目立った。国際社会における力関係は日々刻々と変化していくもので、中国だって将来、分かりませんよ。十数年後には、どこの国からも相手にされない弱体国家になるかも知れないのです。もちろん、日本だってそうなる恐れがある。これからの数年間が正念場なんです。

中露連合軍が台湾（尖閣）と北海道に侵攻する？

石平　そういう観点からすると、国際情勢は何が起きてもおかしくない。

宮崎　石さんが指摘したように本当に中国とロシアの立場が、逆転してしまった。このままロシアの中国への経済依存が続くと中国は図に乗って、北京条約（一八六〇年に清国とロシア帝国が締結した条約）でロシアに取られたともいえるウラジオストク周辺の領土を返還してもらおうかときっと言ってくるよ（笑）。

そこまで、ロシアが落ちぶれるかどうかですが、その可能性はないわけではない。だって今回のウクライナ戦争で相当、ロシアは苦戦しているからね。だから、プーチンが、二〇二二年十月二日、初めてゼレンスキーに停戦の呼びかけをするにいたった。これは、ロシアが相当弱ってきた証とも言えます。

その前日の十月一日、ロシア国防省はウクライナ東部のドネツク州の要衝リマンから撤退したと発表。それはウクライナ東部のドネツク州、ルガンスク州、南部のヘルソン州、ザポロジエ州をロシアに併合するとプーチンが高らかに宣言した直後でした。この四つの州は「永遠にロシア領土だ」と全世界にアピールしていたのに、撤退するだの停戦を提案するだのとなったわけで、プーチンは焦っているように見えます。

石平　とはいえ、西側諸国も支援疲労に陥っているのも事実。停戦の機運は高まりつつあるようにも見える。

宮崎　プーチンに呼応するようにローマ法王も停戦を呼びかけました。カソリック総本山の要請ですから、これはプーチンではなくウクライナのゼレンスキー大統領に向けたメッセージだと理解した方がいいでしょう。これに対してゼレンスキー大統領は「ロシアがウクライナの新しい領土を手に入れることはない。自らもたらした惨事で身を滅ぼす」と強く反発してみせた。
　でも案外、戦争の終結は早いのではないかなと思っています。というのも先ほど言ったように西側諸国はウクライナの支援に疲れ果てているからね。いつまでゼレンスキーにカネや武器をムシり取られるのか心配になっている、もういい加減に妥協せよというのが本音だと思う。前述したように米中間選挙（二〇二二年十一月）で、比較的支援に前向きだった民主党がやや劣勢となりましたから、その方向に向かっていく可能性が高い。

石平　ロシアに関して私は専門家ではないので、よく分かりませんが、でも、結局プーチン政権がいつまでもつかという問題ではないか。戦争に深入りしすぎ予備役動員などをやったために、戦争を支持していた国民も徐々に疑問を持ち、プーチン政権が潰れる可能性がある。仮にプーチンが潰れたら、西側諸国のロシア政策はかなり変わってくる。場合によってはロシアは欧米と和解して、親欧米政権が誕生する可能性もなくはない。そうすると、中国が今度は焦ることになるかもしれない。

宮崎　そうなる可能性もゼロではないけど、今のところ、中国主導の中露同盟が半ば成立している。プーチン政権が崩壊することなく、二〇一四年に確定した国境を維持する形で停戦になる可能性もある。そうなると、今度は中国がロシアをダシにして、台湾侵攻を考えることになるかもしれない。

石平　少なくとも、今の段階で確実にいえることは、このままだとウクライナ戦線は一進一退でしょう。停戦になるにせよ、ロシアはその後でも、まだ、核大国であって、一定の軍事力を保持することにはなる。今後のロシアはＮＡＴＯや米国に単独では歯向かうことはできないけど、中国と手を組んで、北東アジアで威嚇的な行動を取ることは十分可能です。核を持つ北朝鮮も陣営内にいる。在日・在韓米軍や自衛隊、台湾の軍隊など、さほどの脅威ではないと判断する可能性もありますね。

宮崎　それは、スターリンがやったことと同じで、ロシア人は変わり身が早い。国（自分）が生き延びるためには、何でもやる。スターリンは赤軍内の将校を大粛清したことでも有名です。

スターリンといえば、日本でスパイとして暗躍していたゾルゲを活用して見事に第二次大戦に勝利したことを忘れてはならないし、外交面でのしたたかさはずば抜けている。ゾルゲはスターリンから日本政府の対ソ政策や満洲などのソ連国境への軍隊の移動についての情報を探るように命令を受けていた。そこで、ゾルゲは尾崎秀実（朝日記者）と組んで情報を収集。また、尾崎などは雑誌で、「ソ連は崩壊せず、北進ではなく、むしろ南進せよ」と説いて、日米開戦を煽った。その結果、松岡洋右外相などを例外にして、日本政府や軍部の関係者は、ソ連侵攻に消極的であることをスターリンは確認してから、満洲国周辺に配置していた部隊をドイツ戦線に移してヒトラーと戦うことができた。それができなかったら、ヒトラーに負けていた可能性もあるわけです。

だから今後、西がダメなら東を見て、ロシア軍は勝てる地域（北東アジア）に関心を持って移動することは十分にありえる話ですよ。スターリンは北海道を欲しがっていた。ロシアはクリミアの代わりに北海道を新たに侵攻の対象にするかも？　中国は台湾・尖閣、そして沖縄を狙う。そして、北朝鮮は韓国へ侵攻……？

まぁ、冗談半分に聞こえるでしょうが、中露の利害は地政学的にみて、かなり一致するものがある。過去の歴史を見ても、アメリカのルーズベルト大統領とスターリンでさえ裏で利害が一致していたからね。国際情勢というのは常にそういうものです。表向きは対立しても、裏ではつながっていることが、しばしばある。だから、アメリカも、今回のウクライナ戦争において、ウクライナ支援に乗り出しているけど、裏で何を考えているか分からない。

石平　アメリカは信用に足らずということですか。

宮崎　そうです。もう一度、二〇二二年二月二十四日に話を戻すと、要は、アメリカがプーチンにウクライナ戦争をやらせたのですよ。それは、どういうことかといえば、簡単な話で、アメリカとすれば、敵は中国一カ国でいいと思っている。もし、ロシアが中国と組んでしまうと、二カ国と同時に戦うことになる。それは無理だと判断して、中国と本格的に対峙する前にロシアを叩いておこうと考えた。

だからロシアの力を少しでも削いでおきたい。ならば、プーチンにウクライナへ軍事侵攻させることが手っ取り早いと考えてもおかしくない。だから、アメリカは二〇一四年以降、ウクライナ軍の強化も図ってきたのです。ロシア軍の攻撃で簡単にウクライナ軍を負けさせるわけにはいかないから。プーチンはようするに、アメリカのネオコンの罠に嵌まってしまったともいえると思う。

つまり、こういうことですよ。まず、アメリカもNATOも、ロシアがウクライナにたとえ侵攻しても、その戦争に加わらない旨を事前に宣言して、さらにその気にさせた。その宣言にプーチンはうまく乗せられて、中国とも示し合わせたつもりで、ウクライナ侵攻を決断したと言えなくもない。一週間かそこらで屈服させられると思っていた。ところが……。

欧米諸国は、待っていたといわんばかりに、間髪入れずに経済制裁などを発動し、ロシア経済を弱体化させ、プーチン政権を崩壊させようとした。だけど、そうは問屋が卸さなかった。逆に、ロシアは中国に頼ることになってしまい、なんとか体制を維持し、中国はロシアを外交カードのひとつとして使うことも可能となった。その意味からすると中国に余計な力を与えてしまったことにもなる。この点、バイデン政権の見通しは、あきらかに見誤ったともいえる。

ただ、アメリカや西側諸国は未だにウクライナに武器援助して、ロシアに経済制裁もしている。実質的には戦争に加わっており、最終的にはプーチン政権を打倒できると思っている。

石平　アメリカの最終目的はプーチン政権打倒なんですね。

宮崎　そうです。バイデン政権を牛耳っているネオコンにとっては、プーチン打倒あるのみ。要は政権交代をさせること。プーチンを追放する。そしてハト派の政治家にロシア政権を任せる。すると、アメリカは対中国戦で楽に戦えます。ニクソンがソ連をやっつけるために、毛沢東中国を「味方」にしたようなものです。

こんな風に、アメリカなど西側諸国は鵺《ぬえ》的ともいえるような、いろいろな事を仕掛けてきますよ。中国は、そのあたりの情報をどこまで取っているか分かりませんが、各国がそれぞれ国益のためならば、主義主張を突然、一八〇度、ころっと転換するから国際情勢を占うのは複雑怪奇で難しいけど、その醍醐味が感得できて面白い面もある。

中央軍事委員会にはタカ派軍人が増えた！

石平　ウクライナを日本が対岸の火事と見られないのは、台湾、ひいては尖閣有事に影響するからです。第三章でも詳しく分析しますが、二〇二二年十月の党大会の人事で、中央軍事委員会のメンバーに台湾への武力統一を志向する軍人がかなり入りました。習近平を頂点に、七人の幹部で構成するのが軍事委員会。ここが台湾の武力統一への軍事行動を起こすかどうかの判断を下す。また、台湾や沖縄・尖閣諸島方面を担当していた何衛東・前東部戦区司令官が中央軍事委に入りました。東部戦区は対台湾最前線だから、彼は対台湾軍事に詳しい。今回の党大会で中央政治局員へ大昇進した。

宮崎　要はタカ派軍人が増えたということだね。

石平　何衛東の政治局昇進は非常に異例でした。政治局員になるためには、中央委員会委員になる必要があって、そして中央委員会委員になる前には中央委員会候補委員になるのが慣例です。何氏は党大会前まで、中央委員会の候補委員ですらなかった。候補委員、中央委員を飛び越えて政治局員になったわけです。

宮崎　さらに、軍事委員会の委員でもなかった人が、いきなり習近平に次ぐ軍のナンバーツーですからね。

石平　ナンバーツーは張又侠という軍人です。張氏は七十二歳で本来ならば引退しなければならない。実は前軍事委員会副主席・許其亮も同じ七十二歳でしたが、今回引退したのです。一方の張又侠が政治局員に留任して軍事委員会副主席を継続。同じ年齢なのに、どこが違うのか。実は、張又侠に実戦の経験があるのです。一九七九年の中越戦争の時に、連隊長として部隊を率いて実際に戦った。このとき高級将校ではなかったが、中国共産党の軍事委員会幹部の中に実戦経験がある人はほとんどいないから残されたということです。退任した許其亮は空軍の出身。朝鮮戦争が終わってから、中国空軍は戦争をした経験がない。

宮崎　許其亮は太子党（中国共産党の高級幹部の子弟等で特権的地位にいる者）だから、嫌われたという側面もある。親父は人民解放軍の上将でしたから「父子上将」と言われました。上将というのは日本でいうと大将です。

石平　また注目すべきは、中国兵器工業集団を率いてきた張国清が、初めて政治局委員になったことですね。彼は軍人ではないが、軍需産業の有力者です。もう一人、ミサイルの開発をしている中国ミサイル産業の技術者として出世した袁家軍が政治局に入った。今回、政治局員に二人の軍人と、二人の軍需産業の関係者を入れた。それはどう考えても台湾侵攻準備のための布陣ですよ。

宮崎　そして大事なことは、党規約の中に「台湾独立を阻止する」ことを入れた点です。台湾統一について習近平は「必ず実現しなければならないし、実現できる」と発言し、「決して武力行使の放棄を約束しない」と党大会で力説した。そして、党規約に「『台湾独立』に断固として反対し、食い止める」という文言が挿入されたわけです。

石平　そうなると、習近平政権三期目はどう考えても、経済政策がダメな分、「戦争の政権」になる可能性が高い。習近平としては、経済はどうでもいいと思っているのかも知れない。戦争を実行したら、何とか政権は維持できると考えているのでしょう。

中国共産党中央党校の元教授で、米国に亡命した蔡霞氏は、「習近平はマフィアのボスのようで、共産党は政治的ゾンビになった」とも述べて、習政権は最後は、戦争しか考えていないと指摘しています。この政権は戦争に失敗して終わる以外に終わることがないというのです。

宮崎　結論的な事を言えば、経済が悪化すれば、問題をすり替えるために台湾侵略をやる可能性は高くなる。古今東西、二流の指導者はそうやってきました。

習近平の暴走を止められるか？

宮崎　一方の台湾は、これまで中国と事を構える気がなかったが、状況は一変したね。国民党が軍の幹部だった時代は、民衆は台湾軍を信じていなかったのだけれど、若い人がドンドン入ってきて変わった。しかも、アメリカが突然、台湾防衛が大事だと主張し始め兵器をバンバン台湾に出してくれる。

しかも二〇二二年十月二十五日の台湾の国防部長の会見によると、兵士の月給を上げるらしい。徴兵制兵士の月給はこれまで三万円だったのが六万二千円に、普通の兵士も十万円を十二万円にするという。徴兵は三食付きで、住居費もいらない。一旦徴兵制を止めたけど、また復活しました。

石平　習近平政権の運命も台湾併合を成功できるか、成功できないかで決まりますね。万が一、台湾併合に成功したら、習近平は、毛沢東も鄧小平も超えて絶対的な独裁的地位が死ぬまで揺らぐことはない。今までのすべての失敗と、失策が帳消しになる。しかし、台湾併合に失敗したら、習近平政権はその瞬間、完全になくなる。そして共産党政権そのものが崩壊するだろうね。

もうひとつ大事なことは、共産党は今回の人事で自浄能力を完全に失ったということです。昔、中国共産党は曲がりなりにも、毛沢東の晩年に四人組（文化大革命を主導した江青・張春橋・姚文元・王洪文の四名）が跋扈して政権が滅ぶ寸前だった時でも、毛沢東の死後、鄧小平一派が四人組を一掃して軌道修正を行なって政権の危機を回避できました。だが今の共産党政権を見たら、習近平のやりたい放題。暴走を止めることはできない。

宮崎　習近平は、ウクライナ戦争で、欧米の中国包囲網にほころびができたことを奇貨として、近いうちに台湾併合を実現したいと本気で考えています。そのために、中国の台湾併合に対してロシアの支持を取り付けようと考えていた。中国はロシアのウクライナ侵攻を支持する代わりに、それとの引き換えに中国の台湾併合をロシアが容認し、できれば支援もすることを望んでいた。習近平政権は三期目に入り、建軍百周年の二〇二七年までに「実績」が欲しくて仕方がない。

石平　もし、習近平が台湾併合に成功したら、習近平は間違いなく毛沢東を上回る「永久国家主席」となるでしょう。だから、習近平は本音として、第二十回共産党大会が終わった今、いつでも、台湾侵攻をしたいと思っているでしょうね。

幸いだったのは、欧米の支援を受けたウクライナ軍が想像以上に強くて、ロシア軍と対等に戦っていることです。仮に、プーチンが当初、予想したようにキーウを侵攻と同時に陥落させ、ゼレンスキー大統領が国外に逃亡し、ロシア軍がウクライナ軍を壊滅させ、大勝利を二〇二二年春の段階で収めたとします。そうすると、場合によって習近平は元気づき、予想よりも早めに台湾併合戦争をやったかもしれない。しかし、実際はロシア軍が大苦戦を強いられ、しかも、世界各国からウクライナは大変な支援を受けることになった。そういう意味では、台湾も勇気づけられている。

先日、ロバート・エルドリッヂ氏（アメリカの国際政治学者、元在沖縄アメリカ軍海兵隊政務外交部次長）と対談をしましたが、彼は、「台湾は国家として国際的に承認されていない、未承認国家だから、我々は助けようがないのだ」「そういう点で中国は非常に有利だ」という趣旨の発言をしていました。その点は、国連加盟国のウクライナとは確かに異なる。

宮崎　それは一理ある。また、ウクライナと台湾との比較でいうと、一番の違いはロシアとウクライナの戦いは地上戦であること。一方、中国と台湾の場合、海の戦争になるという点です。そうすると、海軍力はどうなのかという話にもなる。いままで中国人民解放軍は海で戦争をしたことがありません。日清戦争で日本軍に叩かれたことがあったけど、海軍を使用して本格的な戦争をしていません。空母を何隻持ったところで、そこのところが未知数です。

あと、もうひとつ、前述したように、この四十三年間、中国人民解放軍は本格的な戦争をしていないのです。一九七九年の中越戦争以降、戦争をしていないから、本当の軍隊の実力というものが分かりません。

中越戦争で戦い、その時の生き残りが将軍となって参謀長だったけれど、その人も退役する。張又俠を除いて、後は戦争経験のない軍人が、軍の指導者になる。軍隊に実戦経験がないと、実際の戦いで実力に大きな差が出てくるというのは、常識です。

また、中国解放軍の若い兵士は「一人っ子政策」で、家族から甘やかされて育った。

だから、本当の戦争になったら、どこまで戦えるかという疑問もある。その点で、今の軍事バランスを見ると、明らかに人員数にしても武器にしても中国が上だけど、いざ、戦争をしてみたら中国軍はロシア軍と同じように弱いかも知れない。ただ、こればっかりは実際に戦争をしてみないと分からない。

石平　日本の自衛隊も七〇年以上、実戦の経験がない。なにしろ戦場での「戦死者ゼロ」だから……。

中国は、口先だけの「言うだけ番長」か？

宮崎　まぁ、それは脇に置いて……。では、中国は戦争に打って出るかどうか、そこは、経済と深く結びついているのではないですか。中国経済が本当に壊滅状態となり、多くの中国国民の生活が貧窮に陥った段階で、習近平に権力がさらに集中するようなシチュエーションになれば、絶対に台湾併合をやると思う。

党大会の前の二〇二二年十月十三日に、北京市内の高架橋に習氏の強権体制や新型コロナウイルス対策を批判する横断幕を掲げた勇気ある人権活動家がいたよね。彼の手書きのスローガンは次のようなものだった。

「独裁国賊習近平を罷免せよ」
「PCR検査は不要、ご飯が必要」
「ロックダウン（都市封鎖）は不要、自由が必要」
「文革（文化大革命）は不要、改革が必要」
「領袖は不要、投票用紙が必要」

石平　まったく同感！（笑）。「マスクは不要、投票用紙が必要」とも言えるかも。

宮崎　こんな声が国内で高まり、またまもなく古希になる習近平の健康が悪化したりすれば、「とりあえずビール」ではないけど「とりあえず台湾」ということで、何らかの威嚇を始める可能性は高いと思う。

いまのところ、経済統計を誤魔化したりしてなんとか国民の格差社会への不満を抑えこみ、一応治安は守られているから、すぐにも台湾侵攻はないかもしれないが、それはウクライナ戦争の帰趨も影響するでしょう。

今、アメリカ政府のコンセンサスとしては二〇二七年以降が危ないという見立てですね。その根拠の一つは、五年後の二〇二七年秋に第二十一回共産党大会があり、その年が中国人民解放軍の建軍百周年に当たるからです。「永久国家主席」の座を狙う習近平としては、誰も地位を脅かすことが出来ない、大きな手柄、実績が欲しいのは事実。二〇二七年秋の直前に、業績をあげるための台湾侵攻はありうるでしょう。

石平　習近平自身は、功名心が強くて自分が絶対的な独裁者になりたいと思っている。独裁者として歴史的に名を残したいという思いも強い。

そういう観点からすると習近平はプーチンとよく似ています。クリミア併合同様に、どうしても台湾併合を実現したいと思っている。今、宮崎さんが言われたように国内経済が汲々となって、崩壊する寸前となったら、国民の関心を海外へずらすという思惑も生まれ、戦争を仕掛けることになるかもしれない。しかし、もう一つの重要な要素がアメリカの動向です。アメリカは実際、そのとき、どう動くか。この点を宮崎さんはどう見ていますか。

宮崎　「台湾侵攻」のカギを握るのは、アメリカだというのは間違いない。台湾関連で中国の動きを見ていると、アメリカ下院議長ナンシー・ペロシ氏の訪台に一番、大きな反応を示していました。二〇二二年八月二日に訪問、翌三日には蔡英文総統と会談し、ペロシ氏は「議員団の台湾訪問は台湾の活気ある民主主義を支持するというアメリカの揺るぎない約束に名誉を与える」との声明を発表しました。

それに対して中国外務省は早速、反応してアメリカのバーンズ大使を夜中に呼びつけ、「ペロシ議長は意図的に挑発を行い、台湾海峡の平和と安定を破壊した。その結果は極めて重大であり、決して見過ごすことはできない。アメリカは自らの過ちの代償を支払わなければならない」と厳しく非難しました。

そして、直後から中国軍は台湾周辺海域六か所で大規模な軍事演習を実施したわけです。が、考えてみれば、ペロシ氏が台湾から離れた、翌日からの軍事演習となったわけで、その真意はアメリカへの威嚇ではなく、要は軍部のガス抜きだったのではないか。いまのところ、まだ「言うだけ番長」かな（苦笑）。

つまり、アメリカへの警告ではなかったのです。本気でアメリカを脅そうとしたら、ペロシが台湾にいる時に、ミサイルをぶっ放すはずです。そんなことはまだできない。だから、そうした中国の「張り子の虎」的な行動を世界各国は見透かしたように、相次いで大物議員たちが台湾を訪問しているわけです。八月、アメリカ上院議員マーキー氏ら五名などが訪台するなど、二〇二二年に入ってから、アメリカ上院・下院議員は七組、二十八人が台湾を訪れています。それだけではなくドイツ議員団も十月、超党派の議員たちが総統府で会談し、蔡英文総統は「台湾に対するドイツの確固たる支持に深く感謝する」と歓迎しました。

六月にはフランスの上院議員外交委員会副委員長ジョエル・ゲリオ氏を団長とする超党派議員団一行六名が訪台しており、リトアニアやイタリアからも、NATO諸国からは次々と千客万来状態ですよ。

一方、日本も八月、超党派議員連盟「日華議員懇談会」会長の古屋圭司衆議院議員が訪台しましたが、その前の七月にも「日本の安全保障を考える議員の会」の石破茂、浜田靖一議員なども訪台して、蔡英文総統と会談をしています。つまり、西側諸国が次々と訪台しており、もはや中国がどんなに台湾訪問を非難しようとも止めることは不可能になった。

石平　いくら中共が吠えても、もはや台湾を国際社会が受け入れる流れは止められない。

宮崎　ここで注目したいのがリトアニアの動きです。同国はヨーロッパの小国で、正式に台湾との国交はまだありませんが、準国交回復のような状態となっています。首都ビリニュスに台湾の代表機関「駐リトアニア台湾代表処」が二〇二一年十二月に設置されたからです。

近年、中国によるチベット、ウイグルでの人権侵害、香港での弾圧に、リトアニア政府は強い不信感を募らせてきたと言われています。この動きに当然、中国は猛反発しリトアニアとの外交関係を格下げすると発表し現在に至っていますが、両国の関係は悪化の一途にあります。さらに、リトアニアに続けといわんばかりに、中欧、東欧・西欧諸国の中国離れが加速化されています。ロシアのウクライナ侵攻を批判しない中国に愛想をつかしだしている。

こうしたことから中国はますます世界的に孤立感を深めているのは確かです。外交部のリスポンスを見ていると良く分かる。

二〇二一年十一月、アメリカのバイデン大統領と中国の習近平国家主席がオンラインで初めて首脳会談をしたときの話です。

中国はこの会談で「自国の主権、安全保障、発展利益を守る」という点をアメリカに確認させたのはいいのですが、「万が一、台湾独立分裂勢力が挑戦し、レッドラインを越えたら、やむを得ず断固たる措置を取る」と強調したのです。そして「火遊びをするものは、自ら焼け死ぬ」という比喩を使ってバイデンを脅したのです。この習近平の発言に対して、あまりにも品格のない発言に世界中が呆れ果てて、驚いたのです。

もっと面白い話があります。イギリスが日本の「ファイブアイズ」加盟を働きかけていることに対して中国外交部は実に興味深いコメントを出した。「五つ目があろうが、十の目があろうが、その目を全部、突いてやる」とね。これまたビックリ。これでは暴力団やヤクザの脅しと同じだね。

こうした発言が積み重なっていくと、中国の立場をますます脆弱なものにしていくのです。

逆を言うと、中国政府の反論が強力な場合は、向こう（中国）は真剣にその動き、言動を気にしているのだと考えればいいと思う。

台湾防衛に「イエス」を繰り返すバイデンは大丈夫か？

石平　暗殺された安倍晋三元総理も台湾に対する思い入れは強かった。

宮崎　その通りです。ご承知の通り、尖閣諸島や与那国島は台湾からそれほど離れていません。だから中国の台湾武力侵攻があれば、日本に確実に重大な危機をもたらします。だから、安倍さんが指摘したように「台湾有事は日本有事、そして日米同盟の有事でもある」ことは火を見るより明らかです。この発言は二〇二一年十二月一日、台湾で開催されたシンポジウムに日本からオンラインで参加した安倍晋三元総理が述べたものです。

さらに安倍氏は、中国側が台湾を併合するために軍事的手段を選択しないように、自制を促す取り組みの重要性にも言及していました。

中国の軍事行動は「世界経済に影響し、中国も深手を負う」ことになり、「この点の認識を習近平主席は断じて見誤るべきではない」と、習近平に直に圧力をかけたのでした。日本の政治家が、中国の国家主席に直接、意見を進言することは、かつてない事だったのです。これに対する中国の反発は凄かった。

早速、中国外務省の報道官は同日、定例記者会見で「強烈な不満と断固たる反発」を表明し「外交ルートを通じて厳正な申し入れをした」のです。これまた、痛いところを突かれて、あわてて反論してみせたといったところでしょう。

石平　台湾問題に関して言えば、中国が台湾に手を出した場合、果たして本当にアメリカ軍が台湾防衛に動くかどうか。そのことを一番、中国は気にしていると思う。

ご存じのようにバイデン大統領は二〇二二年九月十八日のアメリカCBSテレビのインタビューで「アメリカ軍は台湾を防衛するのか」との質問に「イエス、中国が前例のない攻撃をすれば」と答えました。さらに司会者に「つまりウクライナとは異なって中国が侵略した場合、アメリカ軍が台湾を防衛するということですね」と再度聞かれたバイデンは、再び「イエス」と答えたのです。

「イエス」と答えたのはこれで四回目でした。ちなみに、三回目は二〇二二年五月、東京での日米首脳会談後の記者会見において、「台湾防衛のため、あなたは軍事的に関与するつもりか」という記者からの質問に「イエス」と返事し、さらに「関与するのか」と畳み込まれると「それが我々の約束だ」とまで言い切ったのです。このように中国軍による台湾侵攻に対するアメリカ軍の軍事的な関与を明言したわけです。本気ですかな？

宮崎　二〇二一年にはテレビのインタビューかなにかで二度ぐらいイエス発言をしていましたよね。後期高齢者（バイデン）の発言だから、正直、良く分からないのですよ。だって、二〇二二年九月二十八日、首都のワシントンで開かれた「食問題に関する対策会議」で、八月に死去した共和党議員ジャッキー・ワロースキー下院議員が出席していると思い込み、壇上から「ジャッキー、ここにいるのか？　ジャッキーはどこだ」と呼びかけたことがあったよね。もちろん、その議員が死去したことはバイデン大統領には報告済みです。それを聞いた一般の出席者全員はみんな唖然としていました。

そういう大統領だから、急に記者から質問されたら、何も考えず瞬間的に「イエス」と答えてしまっているのかも知れない。

バイデンが「イエス」と答えた後、サリバン安全保障担当補佐官らが全否定、ホワイトハウスは絶対にそういう事はしないと火消しに躍起だったからね。アメリカ政府の公式見解はいまだ「曖昧戦略」のままです。バイデンは上院の外交委員長までやった経験があるのに、外交のイロハが分かっていないのではないか、それが実態なのではないかと思う。相当、バイデンは体力的にも知的にも弱っていますよ。

石平　要するに、バイデンのイエス発言は「失言」の類でしかないということになるんでしょうか。

「台湾政策法案」が成立すれば中国は台湾侵攻を躊躇？

宮崎　そう、ただの失言。ただ、一面ではアメリカ国民の気持ちを代弁しているのも確か。というのも、議会の動きを見ていると分かります。アメリカ上院外交委員会は二〇二二年九月十四日、党派を超えた圧倒的な多数で「台湾政策法案」を可決しました。本会議での議決、法案成立までまだ紆余曲折はありそうですが、上院案には中国が震えあがるような対中金融制裁が含まれています。

中国が台湾に対して武力行使をしたら、アメリカ大統領は中国の大手銀行にアメリカの銀行とのドル取引を禁止することが出来るというものです。もちろん、中国の大手銀行はグローバルに展開しており、仮にドル金融市場から締め出されたら、経営は即、確実に破綻状態へ陥ります。

しかも、中国人民銀行（日本でいう日銀）はドルの流入に合わせて人民元を発行していますから、中国全体の経済を支えているのは、米国ドルです。アメリカ議会は中国の弱みに付け込んだわけです。習近平に台湾侵攻をおもいとどまらせるという狙いが、この法案には込められているのです。中国との軍事対決を避けつつも台湾侵攻を断念させる有効な手段として評価できます。

ロシアのウクライナ侵攻に伴い金融制裁が一段とエスカレートして、ロシアに対する金融制裁として銀行取引を停止したけれども、今度は中国でも同様なことをやろうとしているわけです。ただし、その破壊力は対ロシアの比ではありません。具体的に中国工商銀行、中国建設銀行、中国農業銀行の三行に対して、アメリカの銀行とのドル取引を停止させるといっているのです。これは凄い脅しだと思う。

石平　なるほど、それは中国に対して「原爆投下」みたいな制裁手段になりますね。中国が台湾に侵攻したら中国の銀行は具体的にはどうなりますか。

宮崎　現在、世界の銀行の資産規模ランキングをいうと第一位から第四位までは中国の銀行が占めています。第五位にやっとアメリカのＪＰモルガン・チェース銀行が入っている。

第一位の中国工商銀行の資産規模は六百兆円を超え、第二位の中国建設銀行と第三位の中国農業銀行はいずれも五百兆円を超えています。全世界の銀行資産のうち中国銀行のシェアは三分の一を占め、アメリカの十六・七パーセントを圧倒しています。だから、これら中国銀行のドル取引が禁止されたら、中国経済に大打撃を受けるのは、間違いありません。中国株も大暴落となるでしょう。と同時に世界の金融市場にも影響は少なからず出て来るでしょうね。日米欧も返り血を浴びる恐れがあることは覚悟しておく必要がある。それでも、習近平の野望を封じ込めるために台湾政策法案を成立させる必要があるのか、ないのか。その点は今後、重要な焦点の一つになっていきます。

石平　「台湾政策法案」は、「台湾関係法」とどこがどう違うのでしょうか。

宮崎　「台湾関係法」は戦争には関与しないけれども、台湾が必要とする武器を供与し続けるという内容がメインになっています。一九七九年一月、アメリカのジミー・カーター大統領が中国と国交を樹立する条件として、台湾と断交をした。これは当時、高まっていたソ連の脅威に対抗するために中共と手を結ぶ以上、必要な決定として、アメリカの政財界はやむを得ない措置だったという評価です。

しかし、米華相互防衛条約の無効化で東アジアの軍事バランスが崩れ、自由主義陣営にとって大事な一員である台湾が中国に占領される事態を心配して、この「台湾関係法」が制定されたわけです。ただ、アメリカによる台湾防衛を保障するものではありません。

だから、この「台湾関係法」が施行されてから、四十年以上経過しましたが、長いこと本格的な武器供与をアメリカは渋ってきました。それが、トランプ氏が大統領になってから状況は一変。もう台湾が払い切れないくらいに、最新兵器を含めて積極的な武器供与が始まったのです。

たとえば、ＨＩＭＡＲＳ（ハイマース、自走多連装ロケット砲）があります。ご存じのように、ウクライナ軍がアメリカから供与を受けたHIMARSが大活躍して、ロシア軍をドンドン駆逐した最新兵器です。そして155ミリ榴弾砲も台湾へ売却し始めた。
実は、これらの兵器は台湾が長いこと、供与して欲しいと要請してきた兵器ですが、それをアメリカは断り続けてきたのです。それが、最近では台湾の要望に即、応じて、武器供与・売却するようになったわけです。

台湾も「軍拡」開始！

石平　それだけ、緊張が高まっている証拠ですね。日本にも巡航ミサイルを売る動きもあるというから。

宮崎　その通りです。さらに言うと、台湾に売却したF-16戦闘機もバージョンアップすることになったのです。日本のF-16と違って、台湾のF-16は航続距離が短いタイプで、台湾の航空基地から出撃し、中国大陸で作戦行動した場合、その作戦行動の時間はわずか五分しかありません。五分経ったら台湾の基地に戻らないと、燃料切れとなって墜落してしまいます。五分ではたいした作戦は実行できない。つまり、搭載燃料が限られていたためです。それが今回のバージョンアップでこの航続距離が大幅に延長されました。

二〇二二年六月、アメリカのオースティン国防長官は台湾に対する武器供与や訓練を拡大していく意向を表明しています。中国の脅威の高まりがその背景となっており、すべての戦闘領域で同盟国と連携を深める「総合抑止力」の実現に全力を挙げています。そして中国に対しては「侵略コストの高さや、愚かさを明確にすること」と断言をしたのです。石さんが指摘されたように、このままでは、中国の台湾侵攻が現実になりかねないという危機感の高まりがその背景にある。

石平　中国軍はすごい勢いで軍拡をここ二十数年続けてきた。

宮崎　中国の急速な軍拡で、アジアの軍事バランスは大きく中国に傾いています。中国軍の主力戦闘機、戦闘艦艇、潜水艦は米インド太平洋軍の、いずれも五倍以上になったし、加えてミサイル戦力に至ってはさらに大きく引き離してしまっています。

こうした状況を反映してか、中国軍による台湾周辺や東シナ海での行動が日々活発で、その勢いを増している。それが明らかに台湾や周辺国の脅威となっているのです。

最近までアメリカ政府は、台湾侵攻はあり得ないと思っていたのです。それが今では、あり得るという警戒意識に一気に変わりました。中国軍が台湾侵攻の能力をすでに保持している可能性があるとさえ見ています。

だから、二〇二一年三月に当時のインド太平洋軍司令官デービッドソン氏が「(台湾への)脅威は六年以内に明白になるだろう」と議会で証言し、二〇二二年五月、総合参謀本部長ミリー氏も「(中国軍の台湾侵攻能力確保について)二〇二七年を目標にしている」と発言。そして二〇二二年六月、国防長官オースティン氏が「台湾付近で中国の軍事挑発と揺さぶりは着実に増えている」ことを明らかにしています。このように相次いでアメリカ高官が懸念を表明しているのは、前代未聞です。

こうした中、習近平が正式に三期目入りを果たしたことで、台湾政策の軸足を「独立阻止」から「統一促進(併合)」に移したのです。

こういう情勢変化があって、アメリカ政府は台湾に積極的に高性能の武器を慌てて供与し始めたと、解釈するのがしっくりすると思います。

台湾政策法案などは、台湾への直接支援が目的ではないけれども、エンティティ・リスト(アメリカ商務省・産業安全保障局が発行している貿易上の取引制限リスト、特定の外国人、事業体、または政府が対象となる。中国の通信設備会社のファーウェイが筆頭の対象となり注目された。現在、約二百六十の中国事業体がリストに含まれている）とか、ハイテク製品の中国への輸出禁止とか、中国の産業力を弱める法案をドンドン作っているでしょう。

さらにバイデン政権は二〇二二年十月にもアメリカの最先端技術が中国に軍事利用されることを防止するために、輸出規制強化策を発表しました。最先端半導体を扱う中国企業の工場への製造装置販売を原則禁止したのです。

中国三十一社の企業、団体を輸出管理強化の対象に追加したわけですが、アメリカ政権が最先端技術の人工知能（ＡＩ）やスーパーコンピューターなどが、中国に軍事転用されることを怖れているからです。

ハニトラも飛び交う熾烈な半導体争奪戦

石平　半導体でいうと台湾のＴＳＭＣ（台湾積体電路製造）の動向が気になりますね。
宮崎　世界最大のファンドリー（半導体委託生産）企業であるＴＳＭＣがアメリカのアリゾナ州に工場を建設することになりましたね。総投資額は約百二十億ドル（一兆数千億円）ですが、アメリカ政府が支援します。二〇二一年着工で二〇二四年までに生産を開始する予定で、五ナノメートル（一ナノ＝十億分の一メートル）の最先端半導体を量産することになっています。

　さらに三ナノメートルも検討中と言われており近い将来、スマートフォン用半導体の他、ＡＩを利用した自動運転車向けや、最新鋭ステルス戦闘機Ｆ-35に使用される高品質ＩＣチップも量産する計画です。

　これは、逆に言うとアメリカは最先端半導体を台湾で作らせないのが目的なのです。むしろ最先端半導体はアメリカ国内でＴＳＭＣに製造させようとしています。つまり、台湾が中国軍の侵攻を受けたら、最先端半導体のアメリカへの供給が止まってしまう。その懸念があり、それを怖れて仮に台湾が中国の手に落ちても、アメリカは最先端半導体の供給に問題のない体制を築こうとしているわけです。

　だから、話はちょっとズレますが、日本の熊本県に進出するＴＳＭＣ工場なんかは、レベルの低いものと言わざるを得ない。具体的には二十二から二十八ナノメートルの半導体をこの熊本工場で生産することになっているのですが、主に自動車用に使用されるようです。その投資額は八千億円で二〇二四年量産開始を目指します。

石平　ＴＳＭＣが、最先端の半導体で力を持っているのは分かります。そもそもＴＳＭ

C半導体がなかったら、アメリカの産業はどうなるでしょうか。国防上も大きな問題になる？

宮崎　技術力で見るとアメリカは一世代遅れているのではないでしょうか。アメリカにはインテルなど、大手半導体メーカーが数社あります。ただし、技術力は台湾の方が頭一つリードしていると思います。ただし、日本は頭三つほど遅れていますね。かつて日本は先頭を走っていたのに、今は韓国にも抜かれてしまっている。情けないよね。

石平　TSMCが結局、台湾経済にとってだけではなくて、台湾の国防を考えるうえでも大事な存在となっていると、理解していいでしょうか。

台湾にはTSMCのことを「鎮国の宝（鎮護国家の宝）」という言い方があります。それで思い出すのが、日本に「鎮護国家」（仏教によって国家を護る）という思想が奈良時代にあったことです。聖武天皇による東大寺大仏の建設事業、国分寺建立はその象徴的な事象ですよね。台湾人にとってTSMCはまさに、仏教に代わって「鎮護」的な存在という見方です。そこまでの意味合いはあるのでしょうか。

宮崎　あるでしょう。もう一つ台湾にはTSMCと並ぶ半導体委託生産会社としてUMC（聯電）があります。一九八〇年が創業で世界シェアは第三位（二〇一五年時点）を誇ります。この創業者の曹興誠がまたすごい。私財十億台湾ドル（約四十五億円）を投げ打って三十万人のスナイパー部隊「民間勇士」を作れと主張しました。中国の台湾侵攻が現実となったら防衛部隊として戦うわけです。この人はこれまでシンガポール国籍だったのですが、台湾国籍に戻しました。七十六歳です。台湾の老人は本当に元気だ。

石平　台湾人が「TSMCは鎮護国家の宝」と言っていることの意味は、要するに、それ（TSMC）を守るためにも絶対に、アメリカなど西側諸国は中国の台湾侵攻を許さないという意味ですよね。いずれにしても、逆に言えば、TSMCを奪うことが中国の台湾侵攻の一つの大きな要因となるという理解でいいのですよね。

宮崎　中国人の著名なエコノミストが、台湾人も出席しているフォーラムで、中国軍が台湾に侵攻したら、何もかも破壊するのではなくて、TSMCは破壊せずに、そっくりそのままいただくと言ったことがあった。この発言に台湾の実業界も驚いた。そこまで露骨に言うかと。

石平　実は、宮崎さんが指摘されたフォーラムというのは、二〇二二年五月三十日、中国人民大学（北京）が主催したものでした。テーマは「どうなる中米関係」。ここで講演をしたエコノミスト陳文玲が「中国は必ず台湾を取り戻す、TSMCという本来、中国に帰属する企業は必ず奪う。そして中国の手中に収める」と発言した。つまり、武力で企業を奪い取るのだ、ということを公言したわけです。

そして、この陳文玲というエコノミストは女性で、中国国際経済交流センタートップの経済学者です。長年にわたって国務院の研究員を勤めていた人物で、ただの学者ではありません。明らかに中国政府側の人間です。その人物がこのような発言をしたことで、それを聞いた台湾関係者は、みな驚いたわけです。これは、台湾企業への凄い「恫喝」となった。

これって「自分が欲しいと思った高価な宝飾品やカネ、あるいは食べ物を奪う」と言っているのと、同じで「強盗の理屈」です。この発言で台湾企業が危機感を強めたのは確かです。

宮崎　そして「もし欧米諸国がロシアと同様な制裁を、中国にも加えるようなら、ただちに台湾侵攻してＴＳＭＣは手に入れる」ということも中国政府は言っているね。

だからＴＳＭＣの存在はそういう意味で戦略的な意味合いは大きい。中国の台湾侵攻を誘うような要素があるのかも知れません。ただ、今の状態でＴＳＭＣが中国の手に落ちたら、アメリカなど自由世界が大変な危機に陥るのは確かです。レアメタルや石油や天然ガスと同じく半導体が世界を制するのだから。その観点からも、アメリカは中国の台湾侵攻は許さないと考えるだろうと、台湾人は期待している。

さらに、台湾には鴻海精密工業（スマートフォンや薄型テレビなど電子機器を受託生産するEMS企業の世界最大手）という会社が中国にいくつも工場を展開しています。その工場では中国人を何十万人も雇用し、アップル製のiPhoneを製造しているわけです。TSMCも同様に中国各地に工場を展開し、電気洗濯機とか冷蔵庫など家電製品に使用する三世代も遅れた、ICチップを製造しているのです。それでも、中国の家電メーカーにとっては、ありがたい存在なのです。

だけれども、中国政府はもっと最先端を行く、たとえば人工知能（AI）や、量子コンピューターに使用される最高品質のICを、欲しがっているわけです。TSMCは現在、最高品質のICは台湾国内で製造しており、先ほどアリゾナ工場の話をしましたが、いずれ、こうした最高品質半導体工場もアメリカに持って行くことになるでしょう。

だから、中国がTSMCを奪取して、西側諸国を混乱に陥れるという算段、狙いがあるとするならば、的が少し外れている。

石平　でも、中国だって自前で何とか最先端半導体を開発しようとしていますよね。

宮崎　当然です。中国も自前で最先端半導体を製造しようとして必死です。こうした中、中国政府は国家の肝煎りで半導体製造会社ＳＭＩＣ（中芯国際集成電路製造有限公司）を上海に二〇〇〇年に設立しました。創業者の張汝京はＴＳＭＣの創業者張忠謀の部下だった人です。二〇一八年に二十八ナノメートルの半導体を量産できたのですが、それからの技術的な進歩が全然ない。このプロジェクトは、中国政府が主導してやっているので、計画が杜撰で、実行する前にほとんどカネを使い切ってしまう始末です。それが親方日の丸ならぬ「親方五星紅旗」の中国企業の実態であり、ひとつのネックでしょうね。

また、半導体の材料であるシリコンウエハー（信越化学工業、ＳＵＭＣＯ）、フォトレジスト（ＪＳＲ、東京応化工業）、エッチングガス（大陽日産、昭和電工）はいずれも日本メーカーが、世界中の半導体メーカーに提供しており、圧倒的なシェアを握っています。さらに半導体設計用装置、半導体露光製造装置は中国で製造できません。製造しているのは日本とアメリカ、オランダの三か国に過ぎず、アメリカはこれら精密製造装置の禁輸措置を取っています。

一方、中国の半導体メーカーはどうしているか。日本からエンジニアを呼んで対応しているのです。この分野で、日本が一番、中国に技術が盗まれる危険性が高いと思います。

これは考え過ぎかも知れませんが、技術者がハニートラップにかかって、大事な技術が盗まれるのではないかと心配です。ただ、日本人エンジニアを中国の半導体メーカーが呼んだところで、半導体製造装置のような精密機械は一人や二人の「力」で組み立てられるものでもありません。仮に中国が長い年月をかけて組み立てに成功しても、日本の半導体製造はもっと先の技術開発に成功しているでしょう。

台湾にも媚中派はいる

石平　台湾問題でもうひとつ、気になる点があります。中国の台湾併合について、台湾人自身はどう思っているのかという点。台湾人の国防意識、対中国意識について私は、正直分かりません。

たとえば私がすごく印象に残っているのは、前にも少し触れましたが、二〇二二年八月三日〜四日にかけてアメリカのペロシ下院議長が訪台した直後、台湾を包囲するカタチで、中国軍は大規模な軍事演習を実施しました。台湾上空を飛び越えて中国軍はミサイルを撃ち込み、戦闘機や爆撃機、軍艦を大量に投入しました。

しかし、こうした大規模な軍事演習に対して台湾人は何か慌てるような素振りがまったくなかった。台湾の株式市場も特にパニックが起きたわけでもなかった。むしろ株価は翌日五日になると上がった。そういう台湾人の冷静さとかを見ていると、台湾人は、「台湾有事」をどのように考えているのか、不思議でならないのです。

宮崎　一九九五年から九六年の台湾危機（台湾海峡を含む周辺海域で中国軍がミサイルを大量に発射。九六年のときは台湾総統選挙で李登輝に投票したら戦争を意味するというメッセージを送ろうとした。これを受けてアメリカ軍は空母ニミッツ、インディペンデンスを急派し緊張が高まった）のときは、かなりの外省人（大陸生まれで戦後台湾にやってきた人）が慌てて、資産を売却して台湾からアメリカなどへ逃げた。それを見ていて、「出ていきたい奴は出て行けばいいんだ」というのが本省人（台湾生まれの人）の反応でしたね。

それ以降、台湾は中国から何度も恫喝、恐喝されているけれども、今でも侵略されたら武器を持って戦うという台湾人、本省人はおおよそ六十五パーセントいる。

ちなみに、日本の若者はいざという時に武器を持って戦うかというと、七パーセント弱しかいません。もちろん、台湾人の中にも戦わないという人もいる。その比率は十三パーセントぐらいです。ようするに、このパーセントは外省人の比率とまったく同じなのです。

つまり外省人は中国に侵略されるという事態については、本省人と違う発想を持っているということです。彼ら（外省人）は中台統一を今でも信じているのです。困ったものだと思います。台北前市長・柯文哲などもそうでした（二〇二二年十一月二十六日投票の市長選挙には不出馬）。それから台南の高雄市長になって、この前の総統選挙で蔡英文に挑んだ韓国瑜がそうです。台湾人のクセに「中台統一すべき」という意見の持ち主ですからね。中国からカネを貰って総統選に出ろと言われた男というウワサまであります。やっぱりおかしな人、媚中派はどこにでもいるものです。

石平　台湾軍は大丈夫ですか？　台湾軍はもともとのルーツが中国の国民党軍ですよね。だから歴史的に中国大陸と関係が深い軍隊と言えます。ということで台湾を守る意識がどれほどあるのか正直、心配です。

宮崎　台湾軍の世代は、三世代、交代している。蔣介石が連れてきた軍人たちと、今の軍人たちとではまったく考え方が違う。馬英九が総統のとき、軍隊の徴兵制を止めて（二〇一八年）志願制にした。だが、ロシアのウクライナ侵攻の影響を受けて、それを止めました。今は準徴兵制度となっていいます。台湾軍は自衛隊ほど強くはないが結構、しっかりしている軍隊で、今では真面目な隊員が多い。ただし、未だに台湾軍の上層部はほとんど外省人の二世、三世ですから、その点がネックです。

前ほど酷くはないが、以前の国民党軍幹部は腐っていましたね。汚職、賄賂は当たり前、武器を製造する前に、今の中国軍と同じで、予算をみんなで分け合ってしまう。だからいざ、武器を購入、あるいは製造しようとしても、すでにカネはなくなってしまっている。いつまで経っても武器の調達ができない。

以前、台湾軍はフランスからラファイエット級フリゲート艦六隻を購入（一九九一年）すると決定したのですが、結局どうなったのか。台湾軍の関係者たちが予算を食い合ってしまい、購入がスムーズに進まなかった事件がありました。挙句の果てに、台湾軍の下士官が自殺をし、ラファイエット社の社員も数名自殺してしまった。

石平　そこまで、酷かったのですか。

宮崎　酷いというもんじゃない。本当に中国共産党とやっていることは全然、変わりませんから。蔣介石・旧国民党の軍隊は、そういう意味で国民を守るという意識はゼロに等しかった。だが、今の台湾軍はいい方向に変わったと思う。訓練を見ていても、台湾空軍の戦闘機が高速道路を滑走路代わりにして、緊急発進、着陸の訓練をしています。あれは、なかなか高度な訓練です。

石平　そういう意味では、台湾自身の国防意識は脆弱ではないですね。中国軍が侮ると痛い目にあう。

台湾の「領土」を取って終わらせる秘策もあり？

宮崎　そうなのですが、それはそれとして、中国人同士、お互いに阿吽の呼吸で、ナアナアで分かり合っている面があるのです。そうだとすると、私はもしかしたら、中国人同士、無駄な戦争はしないと思うのです。中国軍が明日、「台湾領土」を取ろうと思ったら、「台湾本土」を取るのは困難だけど、実は簡単に取れる「台湾領土」が三か所ある。そこを中国軍が奪還して、台湾侵攻を一応、終わらせる。そういうシナリオだって描けるのではないかと思う。

具体的にいうと南沙諸島、東沙諸島、金門島です。金門島は中国廈門の目の前だからね。今まで、どうして中国軍が取らなかったのか不思議なくらいです。また馬祖は中国の湾に食い込んでいるところの島ですからね。中国軍が攻撃を仕掛ければ一時間で、落とせるでしょう。

石平　金門は、廈門の目の前ですね。

宮崎　金門島は四つの島から成り立ち、そのうち二つが無人島です。無人島に上陸すれば、それはそれで、勝ったことになる。東沙諸島の場合は、旧日本軍が作った六百メートルの滑走路がある。それを、今ある滑走路はちょっと長くしたのだけれども、台湾は軍隊の駐留を止めてしまった。今では環境・気象の観測地点になっています。この島だって、無血で中国軍は奪取できるでしょう。

それから、南沙諸島です。この中の太平島は台湾から千八百キロぐらい離れています。この島も侵攻しようと思えば、中国軍は簡単に占領できるのに、この七十年間、わざと取らなかったわけだ。逆にフィリピンのスカボロー礁では世界の批判を押し切って軍事基地を建設中だ。いまあげた三つは中国軍が、すぐにでも抑えられるから、特に何もしてこなかったのかも知れない。

石平　しかし、万一、その島が取られたら、台湾のシーレーンが危うくなってしまう。でも、たしかに、中国軍がそれらを占領したら国内での宣伝効果はかなり大きいものがある。

宮崎　間違いなくあるね。台湾から「領土」を奪取したことに一応なる。その辺のところ、中国人はお互い同士、なんだかんだ言っても、地下の人脈で通じ合っている。昔、金門島の知事に私はインタビューしたことがあります。その知事は廈門へ通じる橋を架けようと思っていると言っていた。

石平　本気ですか。

宮崎　本気で言っているんだよ。「えぇっ。明日にも台湾にミサイルを撃ち込むと言っている国に、何で橋なんか架けるのですか?」と知事に聞いたら、「我々、中国人同士、分かり合っているから」というんだよ。私たちの懸念なんかあざけるように笑い飛ばしたね。それが、中華思想なんですよ。

石平　台湾も外省人の勢力がまだあり、そこが心配です。でも、徐々に外省人の若い世代が、影響力を及ぼしていくと思うと、不安にあまり思わなくてもいいのかもしれませんね。

宮崎　外省人でも、若い世代はまったく、大丈夫です。「我々は台湾人だ」という意識を強く持つようになってきていますから。香港から台湾に逃げてきた中国人も多い。中共に哀愁や郷愁を抱くようなのは、日本の全共闘世代と同じで、シーラカンスというか、希少生物で、もう消え去るのみでしょ（笑）。

第三章

習近平の最悪の五年間が始まった

毛沢東を凌ぐラストエンペラーの誕生

「戦狼外交」をやっているヒマはなし？

宮崎　前の章でも少し触れたけど、二〇二二年十月の中共党大会は、共青団の李克強と汪洋が政治局常務委員会から消えて、習近平に対してイエスマンのみで構成するようにした。習近平の「晴れ舞台」となったね。皮肉を込めてだけど……。

石平　習近平政権の三期目が始まることになりましたが、だからと言って、権力闘争が終わったわけではない。どういう政治路線で行くか。大会後、最高指導部から追い出された李克強ら共青団派と習近平国家主席の間で、どんな形で権力闘争が展開されていくのかまだ予断を許さない面もある。

宮崎　「戦狼外交」は若干修正されることになると思う。強硬派の外交トップの王毅が中央政治局のメンバーにもなったことで、メディアは「戦狼外交」は継続されると言っているけど、そうは思わない。なぜなら中国経済については第四章でも詳しく分析するけど、大混乱に陥っており、それどころではなくなっているからです。むしろ、共産党は、二〇二三年にかけては、しばしば経済問題にシフトすることになる。そのことを中国共産党の幹部連中はみんな分かっている。なぜかと言うと、不動産市場が壊滅していて、ローンの不払い運動が起きているでしょう。不払いをしている人たちはだいたい、共産党員じゃないですか（笑）。

共産党員が積極的に住宅投資をしてきたけど、それが、どうにもならなくなった。これは緊急になんとかしないといけない。

もうひとつが、「一帯一路」が失敗していることが、広く知られるようになったこと。この「一帯一路」に投じたカネは一兆ドル（約百四十兆円）ですよ。一兆ドルというと今、中国が持っている米国債と同額の規模となる。「一帯一路」に投じた一兆ドルは今では、いわば不良債権だからね。

具体的には、パキスタンから東方に抜ける「中パ経済回廊」が地元住民の反発や政府の債務問題を引き起こした。同国の融資残高は二百三十三億ドルにも膨らんでしまい、通貨下落と経常収支悪化で「債務不履行の瀬戸際にある」（二〇二二年九月十八日付、日本経済新聞）と指摘されています。またスリランカ南部のハンバントタ港を九十九年間中国が債務免除として運営権を取得しましたが、今はあまり利用されておらず、その北二十キロ先に新たに開発した国際空港「マッタラ・ラジャパクサ」も、利用客は一日三十人という有様です。パキスタンとスリランカは「国の生命が脅かされる状況に直面している」と米国誌フォーリン・ポリシー（電子版）は伝えているのです。

ですから、「一帯一路」の新興国向け融資の焦げ付きがすごい勢いで増加しているもようで、金利を減免した債権だけでも二〇二〇年〜二〇二一年は一八年〜一九年に比べて三倍も増加した。二二年はもっと増えるでしょう。その経済対策のほうが喫緊の問題なのです。

石平　「習近平一強」が成立したいま、彼がまずやるべきは、政治闘争よりも経済対策ということに？

宮崎　大きな政治闘争はだいたい終わったのではないでしょうか。中国人民解放軍を完全に習近平派が抑え、次に公安も手中に収めた。これまで公安は江沢民派が、牛耳ってきましたが、その江沢民派はもう壊滅状態です。

さらに、警察と司法もほぼ掌に収めた。まだ二〇二三年三月の全人代まで時間はあり紆余曲折もあるかもしれないけれども、習近平が軍、公安、警察、司法まで握ってしまい、彼に歯向かうグループ、反抗勢力はなくなったといえる。そうすると、経済政策に習近平政権は本来、集中できると思いますが、第一章の冒頭で述べたように、今回の新しい陣営では経済を立て直すのは無理でしょうね。金融方面では通貨レート、金利、外貨準備をコントロールし、市場へ通貨供給をはかるべきポストから易鋼と郭樹清が排除され、かわりに李強と何立峰という経済専門とは言えない人が経済政策に携わる。李克強首相は二〇二三年三月の全人代までポストを維持するけど、改革への意欲を失って、あとは野となれ山となれの心境でしょうね。

ともあれ、経済的な事態は非常に深刻で、すでに、どうにもならない局面まで陥ってしまっているといえばそれまでですが……。

石平　実は習近平政権の第二期目から経済政策の失敗が目立ってきたのですが、経済状況は、コロナ以降、ますます悪い方向に向かっています。

中国のさまざまな経済困窮についての分析は第四章でも詳しく述べますが、二〇二二年に入ってからどういう現象が起きているのか、その辺を少し検証しておきます。当初、習近平は、政権発足当初から経済運営の主導権を首相の李克強から取り上げてしまったことを、思い出していただきたい。習近平は、自分自らが中国経済運営の舵を取ることになった。

というのも、これまで中国経済運営で最高の司令塔は中央財経委員会でした。たとえば、胡錦濤政権時代は、経済の運営は温家宝首相にすべて、任せていた。ですから中央財経委員会のトップは胡錦濤ではなくて、首相の温家宝でした。温家宝が全権を握って経済の運営に当たったわけです。しかし、習近平政権になると、習近平自ら中央財経委員会のトップになってしまった。

宮崎　そして、李克強を無視して劉鶴（副首相）を経済政策のブレーンに置いた。

「北戴河会議」から党大会までに何が起こったか？

石平　しかし、その結果、中国経済は本当にボロボロになってしまった。このまま行けば、習近平政権どころではなく、共産党そのものが潰れるかもしれない、という危機感まで浮上してきましたよね。

その危機感を背景にして、二〇二二年に入って、新しい動向が見えた。つまり、李克強首相が、経済運営の主導権を徐々にですが、一旦は取り戻したという事実です。これは、習近平の経済政策の失敗を意味するもので、だから、その時点では李克強に経済問題解決を任せる以外に道はなかったのです。

その象徴的な出来事が、二〇二二年五月二十五日、李克強が首相を務める国務院（政府）が全国テレビ電話会議を開催したことでした。これは、中国経済の安定を図るための会議で、そこで李克強は会議参加者に「経済成長を保ち、人々の失業率を下げる」と呼びかけたのです。

注目されたのはその会議の規模です。各都市、県、市、郷鎮など全国二千八百以上の地方政府幹部全員を会議に参加させました。前代未聞の大会議で、参加人数は十万人を超えました。ここで李克強は習近平が重視しているはずだったゼロコロナ政策には一言も触れなかったのです。ゼロコロナ対策が中国経済にどんなに悪影響を及ぼしているか、それを暗に批判したものと捉えられています。もちろん、この会議に習近平は参加せず蚊帳の外でした。

しかも、この会議は国務院が主催したのであり、中央財経委員会ではなかったという点が重要でした。李克強首相がこの会議を自ら主催しまとめ上げたわけです。習近平政権下で、これまで、ないがしろにされてきた李克強がこの時点では、リーダーシップを発揮して、にわかに復活したカタチとなった。

このように党大会直前までは、経済政策の陣頭指揮に李克強が当たり、そして習近平が経済分野の現場から後退するという構図が浮かび上がっていたのです。

宮崎　そのころの李克強の抵抗はかなり本気だったよね。

石平　ええ。そのあと、二〇二二年八月一日から八月十日過ぎまで二週間近く、中国共産党中央ハイレベルの秘密会議「北戴河《ほくたいが》会議」が開催されました。それが終わって、八月十六日、習近平と李克強の二人は、それぞれ地方を視察に行った。その際、李克強はゼロコロナ対策に反対するような意味合いがあったのか、マスクなしで深圳を視察していました。

しかも、この深圳こそが、改革開放路線を唱えた鄧小平の聖地であり、改革開放路線の最前線だったことは言うまでもない。ここで李克強は中国経済のカギを握る広東省、江蘇省など六つの省のトップたちに向かって、改革開放路線の重要性を説き経済回復の号令をかけたのです。さらに十七日になると鄧小平の銅像に献花して、そこでも地元住民に「改革開放は必ず前に進める」と高らかに宣言をしたのでした。李克強の行動には鄧小平に引き立てられた長老たちのバックアップがあったとも言われています。

その一方、習近平が視察に行ったのは東北の瀋陽でした。昔、共産党軍と国民党軍との戦争で、共産党軍が勝利を収めた聖地です。その記念館を視察して、そこで「共同富裕」

を唱えたのです。「中国式の現代化とは、全人民の共同富裕の現代化である。少数の人びとだけが豊かになるのではなく、全人民が共同富裕になり、皆で大いに喜ぶべきだ」と力説した。

こうした中、もうひとつ見逃すことが出来ない事象がありました。それは二〇二二年九月三十日のことです。実は毎年この日、中国共産党は翌日十月一日の国慶節の前夜祭を大々的に開催します。共産党中央の幹部たちはもちろん、多数の各国使節団を招いて、お祝いするのが恒例です。そこで主催の国務院を代表して首相である李克強がスピーチをしました。普通、ここでのスピーチは儀礼的なものです。しかし、この時は違っていました。李克強は本気で経済問題を語って、中国経済を安定させなければならないと訴え、そして、習近平の方針「共同富裕」に真っ向から反対する「改革開放」の重要性を説いた。そこが、最大のポイントです。李克強はここでも己の存在感を強く内外にアピールしたのです。

それと、見逃してならないのは、このとき李克強と同じグループの共産主義青年団（共青団）派の汪洋（人民政治協商会議主席）と胡春華（副首相）が各方面で活発に動いていた点です。この時点では、李克強を中心にした共青団、つまり実務派と呼ばれている勢力が勢いを取り戻し拡大している感じでした。それが二〇二二年初頭から党大会の十月までの共産党の様相でした。だから、当然、李首相は政治局常務委員として残留し、習主席が総書記三選を果たしたとしても、他にも政治局常務委員の胡春華が留任し、汪洋が常務委員に昇格すれば、李首相をはじめ「反習派」がかなりいることになるので、習主席が自らの主張を押し通すのは困難になると予想されていました。ところが、党大会では、胡や汪洋は降格し、政治局常務委員の六名は習へのイエスマンばかりになってしまった。

「共同富裕」と「改革開放」はどこに消えた?

宮崎 党大会で、そういう形で、人事面では習近平派が完全勝利した。そして「改革開放」は終焉を迎えたといわれていますが、石さんはどのように捉えていますか?

石平 確かに今回の党大会では「改革開放」を旗印にしてきた李克強や汪洋といった共青団が追い出され、習近平派一色となりましたが、それでは「共同富裕」一色となったかというと、実は必ずしもそうでもないのです。

宮崎　その心は？

石平　第二十回中国共産党全国代表者大会の開幕式において習近平総書記は「政治報告」を読み上げましたよね。この政治報告では第十九回党大会からの五年間の党の活動に対する総括を行ったうえで、さらに、今後五年間のいわゆる施政方針を示します。

具体的に、習近平政権が出来てからの十年間を総括して偉大なる変革を達成したと自画自賛した。そのうえで、次の第二十一回共産党大会までの今後、五年間の施政方針として十四項目を挙げて、その中身を具体的に説明しました。いってみれば商品解説みたいなものです。

十四項目の内訳は①マルクス主義の中国型から新境地を開くこと。②新時代における中国共産党の使命を果たす。③発展の新しい構造作りと質の高い発展。これは主に経済の話です。質の高い経済発展を遂げる。④科学教育興国戦略の推進、⑤全過程的な人民民主の促進、これは阿保らしい話です。⑥法治国家の全面建設。⑦社会主義文化事業の推進。⑧人民の福祉増進と生活レベルの向上。⑨緑色（エコ）的発展と自然との調和の促進。⑩国家の安全と社会安定の維持。⑪国防と軍の現代化の推進。⑫一国二制度の堅持と祖国統一の推進、人類運命共同体の建設です。香港、台湾の話になり、台湾を統一するという話。⑬世界平和と発展の促進、人類運命共同体の建設。最後に⑭党の規律の厳格化と新時代の党の建設を促進し、腐敗を取り締まる――という内容でした。

宮崎　そこから何が読み取れるの？

石平　この十四項目をこれから習近平政権が実行していくことになるわけです。非常に感慨深く思った点が一つあります。今から十年前の第十八回共産党大会で、退陣する直前の胡錦濤総書記（当時）の政治報告で今後、五年間の施政方針として十一項目を取り上げた。そのうちの二項目にそれぞれ、「小康社会の全面建設と改革開放の全面深化」「政治改革の推進」ということで、経済と政治の両面において改革・開放を推進すべきだと大々的に表明したのです。

これを目標にして習近平へ政権をバトンタッチした。つまり、習近平にこれから五年間、「改革開放」を推進してもらいたいという話でした。しかし、結局、習近平政権になってからこの十年間、「改革開放」は徐々に消えていってしまった。それを受けた今回の習近平の「政治報告」の十四項目のタイトルには、「改革開放」の項目すらなくなり、消えてしまった。

もはや、改革開放が今後、党活動の重要方針ではなくなってしまった。習近平が説明する中で、改革開放に若干触れた個所はありますが、十年前と比べれば隔世の感がある。

つまり李克強の「改革開放」と、習近平の「共同富裕」が繰り広げられた路線闘争で、習近平派が勝ったということです。改革開放で貧富の格差が拡大し、その格差をなくすために習近平が持ち出した新しい政策理念「共同富裕」が、習近平の看板政策となったのは事実です。

こうして、鄧小平時代以来の「改革開放」路線は、習近平三選目にして終止符が打たれてしまったと言えます。

宮崎　とはいえ、「改革開放」路線が完全に消滅したとも言い切れないよね。

石平　そうです。というのも、習近平自身の「政治報告」十四項目からは「共同富裕」も漏れているのです。つまりタイトルに「共同富裕」が入っていない。もちろん、自分が出した政策理念ですから、一言も触れないのはまずいので、一応、八番の項目にあった人民の福祉増進、生活レベルの向上、その詳細な内容説明においては僅かながらも触れてはいますが、人民の福祉と生活レベルを上昇させる手段として「共同富裕」が有効であると説明しただけでした。

つまり、「共同富裕」も政策の基本理念のレベルではなくなった。基本理念ならば、項目のタイトルになっていないとおかしい。ようするに「共同富裕」路線も明らかに「改革開放」と同じく格下げとなったわけです。結局、習近平は党内改革派たちの強力な反対によって自らの看板政策の降格を余儀なくされたと理解していいと思う。習近平は、人事面では大勝したが政策面では共青団派との妥協を余儀なくされたわけですよ。

ということは、路線闘争は五分五分の勝敗であった。どちらも完全に勝利したわけではなく、李克強の「改革開放」は一旦表舞台から消えたものの、習近平の「共同富裕」も格下げされてしまったというのが、今の状況です。共産党大会が終わり、習近平は再び「共同富裕」を持ち出してくるでしょうから、この政策面での路線闘争は今後ともしばらくの間、続く可能性が高いでしょう。

習近平はラストエンペラーになった

宮崎　なるほどね。ところで、すでに見てきた通り、二〇二二年十月の第二十回共産党大会、二十三日の第二十期中央委員会第一回総会で、新しい最高指導部である政治局常務委員会メンバー七人の顔ぶれが決まりました。

石平　序列順を見ると、第一番目が総書記となる習近平です。三期目突入が確定して、二〇二三年三月開催の全人代で国家主席になる。二番目は李強でした。上海市のトップで二〇二三年三月、首相に就任します。三番目は趙楽際。政治局常務委員留任で、同じく全人代で、全人代委員長に就任する予定です。四番目の王滬寧は政治局常務委員として留任しましたが、汪洋に代わって人民政治協商会議主席に就任します。五番目の蔡奇は政治局常務委員の新任で中央書記処書記となる。党大会までは北京市の共産党書記で政治局委員でした。

そして、六番目の丁薛祥も新任の政治局常務委員で、筆頭副首相となります。最後の七番目の李希は政治局常務委員新任で党中央規律検査委員会書記となり、腐敗摘発に乗り出すことになる。前任は趙楽際でした。李希は、広東省の共産党書記を務めて、政治局委員でした。

宮崎　この異様なる布陣を、石さんはどう評価しますか。

石平　みんな小粒で、習近平にただ忠実な側近たち。そんな印象を持ちましたよ。習近平以外の常務委員会委員の六名のうち、趙楽際と王滬寧の二名はかねてから習近平の協力者であり、習近平陣営のメンバーだった。他の四人全員は浙江省などで習近平が地方政府トップを務めた時代の秘書たちで、側近中の側近です。ということは、共産党最高指導部は習近平派閥の人間、あるいは子分で固められて、完全に習近平派に独占されてしまった。一つの派閥が最高指導部を独占したというのは、共産党の結党以来、初めてのことだと思います。

そして、非常に注目すべきことは李強が今回、首相になることです。国家主席の子分が首相になるのは初めてのケースです。毛沢東時代ですらそうならなかった。国家主席だった毛沢東はトップですが、その下の首相・周恩来は決して毛沢東の子分ではなかった。国家主席の子分が首相になるのは初めてで、こんな禁じ手を行使したのは、中国共産党の歴史始まって以来の出来事です。

宮崎　ようするに、習近平による個人独裁体制は完成されたことになる。今後、重大な政治案件とか、人事に関して、本来ならば、政治局常務委員の多数決で決定されるのですが、その際には、国家主席であろうと、総書記であろうと、同じ一票です。だから、過去において国家主席の意向とは違った判断が下されることも多数決の表決の結果次第ではありえた。それが今後はなくなる恐れがでてきた。

石平　たとえば、胡錦濤政権時代は、一時は九人の政治局常務委員がいました。胡錦濤が総書記として他の八人を招集して常務委員会を開くわけです。宮崎さんが指摘されたように、胡錦濤は他の政治局常務委員と同じ平等の一票を投じる立場で多数決に臨む。胡錦濤と他の政治局常務委員との関係は、会議を招集する立場と、招集される立場の違いだけです。家来と殿様の関係ではなかったのです。

今回の政治局常務委員は七名がメンバーですが、必ず奇数です。それは多数決で物事が決定される場合、偶数では決定できないからです。もちろん、六名だったら、同数となり何も決まらない。

しかし、考えてみれば、今回の政治局常務委員のメンバーはみんな習近平の側近で、子分ですからもう事実上、多数決はありません。採決する意味はもうない。新しく政治局常務委員になった人が独自の立場で一票を投じることはあり得ない。習近平がこう決定すると言えば、必ずそうなる。反対する人は絶対にいません。すべてが、習近平の意志一つで決定されるという話です。つまり、最高指導部の政治局常務委員会は意味がなく、習近平の御用機関に成り下がってしまったというわけです。

宮崎　習近平はラストエンペラーになったともいえるね。

石平　事実上の「皇帝」となって、政治局常務委員は全員、「臣下」です。皇帝対臣下。

そうすると、もう一つの特徴は、ブレーキ役不在の「超危険政権」となるという点です。

宮崎　「君は君たらざるとも臣は臣たらざるべからず」（主君に徳がなく主君としての道を尽くさなくても、臣下は臣下としての道を守って忠節を尽くさなければならない）の世界。

石平　「部下はつらいよ」の世界で、誰も習近平にブレーキを掛ける人はいない。最高司令部六人のうち四人は習近平自身の側近、子分でイエスマンであって習近平にブレーキを掛けることを出来るはずもないし、最初からそのような考えは毛頭ない。その他の二人、趙楽際にしても王滬寧にしても、一匹オオカミで政治派閥を運用できるような人間ではない。実力者ではないのです。王滬寧はずっと理論家で、権力者のブレーンとして活躍してきた人物で、自分自身に力はない。趙楽際も習近平にブレーキを掛けるのは、おそらく無理でしょう。ということは、まさに彼の暴走にブレーキを掛ける人は誰もいない。ブレーキというメカニズムは起動しないのです。

宮崎　アクセルしかない、そしてブレーキのない車を運転するわけだ。もしかしたらハンドルもない？（笑）。

石平　いや、左にしか廻らないハンドルはあるかもしれませんな（笑）。ともあれ、これまでも習近平は承知の通り独裁政治をやってきましたが、以前の最高指導部には李克強とか、汪洋とか、習も一目置くような実力者がいました。そういう人がある程度習近平にブレーキを掛けてきた。習近平がゼロコロナ政策を実行したとき、前述したように、李克強は暗にブレーキを掛け、邪魔し抑制の役割を果たしてきた。だから、ブレーキのメカニズムは辛うじてあったのですが、これからはまったく機能しません。トップをチェックしてブレーキを掛ける。そんな度胸を持った人物は今の最高指導部にはいないのです。ということは、極端な話ですが習近平がある日、台湾に侵攻するぞと、決断したら中国はそのまま戦争に突入することになるわけです。ようするに、ロシアのプーチンとまったく同じ話になる。それが恐い。

「終身独裁」を目指して、若手を起用せず

宮崎　最高指導部六人の年齢を見ると、みんな高齢で習近平に近いね。

石平　そうです。今回の人事は、後継者不在の最高指導部構成だということです。五年前の二〇一七年の党大会で誕生した最高指導部には、習近平（六十九歳）の後継者がいなかった。だから二〇二二年の党大会まで習近平は続投したわけです。そして、今回の

最高指導部メンバーを吟味してみたら、習近平の後継者に該当する人物はいないことが明白になりました。趙楽際（六十五歳）、蔡奇（六十七歳）、王滬寧（六十七歳）、李希（六十六歳）の四名は年齢面からしても習近平の後継者となることはまずありません。李希にしても習近平と三歳しか差がないのです。

この四人の中で趙楽際が一番若いですが、五年後の二〇二七年開催の次の党大会までに、このメンバーはみんな七十歳以上になってしまう。それ以外に若い人物として、李強（六十三歳）がいる。五年後は六十八歳と、年齢的には国家主席になれるギリギリの線ですが、首相から総書記・国家主席に昇進した前例はないのです。ハッキリと言って国務院のトップである首相になったら、総書記になる芽はほとんどない。

共産党が国務院より、上の立場ですからね。政府のトップをいくら務めたところで、所詮、全人代の委員長に就任にとどまる。間違っても党の総書記に就任する可能性はない。

もう一人、丁薛祥（六十歳）も若いですが、今言われているのは筆頭副首相への就任です。李強同様に国家主席になる可能性は限りなくゼロです。つまり、前回の党大会と同様、習近平は新しい最高指導部に自分の後継者となる人物を採らなかった。いったん、自分の後継者を誰かに決めれば五年後、習近平は必ず引退することになるから、それを避けたのです。

宮崎　となると、怖ろしいことが、今後、中国で起きるね。後継候補を決めないことが意味するところは、習近平は五年後の二〇二七年の共産党大会でも引退するつもりはなく、さらに四期目へと進む魂胆があるということだ。事実上の終身独裁を目指している。三選で、引退するならば、たとえば五十五歳前後の若手を一人、最高指導部に入れるべきだった。それをしないというのは、習近平にまったく、その気がないわけだ。実際、習近平自身が政治局常務委員に入ったのは、五十四歳の時で、五十九歳の時に胡錦濤の後任として総書記になった。

ところが、今回の最高指導部は全員、自分の家来、臣下で固めた。習近平は皇帝以外の何物でもない。中国は共産党の国家ではなく、習近平の国家となってしまった。共産党員の九千万人、中国国民の十四億人が習近平の一存で動くことになる。習近平が右と言えば、みんな右。習近平が左と言えば、みんな左を向く。そんな恐ろしい国はない。まるで猿の惑星！　これが今後の中国政治の現実です。

日本で「安倍一強」がどうのこうのと言っていた比ではない。中国に甘い朝日新聞でさえ、二〇二二年十月二十四日朝刊の一面トップで「習氏1強が完成」「後継者不在」「4期目も視野か」という見出しで報じていた。珍しく、我々の認識と一致した（笑）。「安倍1強」と呼び捨てにするくせに、「習」には「氏」を付けるあたりが、朝日新聞らしいけど？

自作自演の猿芝居で、消えた北戴河会議での合意

石平　それにつけても、先の党大会でこんなに習近平の独裁が強まるとは予想外でしたね。

宮崎　事前には、胡春華の副首相入りとか、汪洋が首相になるという観測記事が盛んに出ていました。だけどこれは最初から陽動作戦で、私は王滬寧が描いていたシナリオの一環だったと見ています。大きな変化はないと思って大会に出席したところ、それをぶち壊すようなサプライズ人事が発表されて、みんな驚愕してしまったというのが実態では？

そして、ここにきて「もともと汪洋と李克強は自分から引退すると言っていた」とい

う報道もあった。習近平指導部と付き合うことに嫌気がさしていたというわけです。理屈と膏薬はどこにでもなんとでも付けられるからね（笑）。

石平　私が把握している情報では、二〇二二年八月の二週間近く続いた北戴河会議には、前国家主席の胡錦濤も参加して議論し、出来た合意が、習近平の続投を共産党青年団派が認める一方で、李克強と汪洋も政治局常務委員にとどまって続投するというものでした。そして李克強が全人代の委員長になり、汪洋が首相を務める。そういう人事上での合意の下で、党大会を迎えたわけです。

そして、党大会が始まったわけですが、最終的にこの合意が完全に消えてしまった。そもそも党大会を仕切るのは主席団です。そのトップには習近平、そして胡錦濤など長老たちも入っています。

宮崎　開幕式のとき、その長老たちがずらりと並んだ。百五歳の長老・宋平の姿もあった。しかし、二日目からその長老たちは出ていないね。

石平　その通りです。長老たちは外されたのです。

問題は大会で重要な主席団の会議です。主席団の第一回目会議が党大会開催日の二〇二二年十月十六日にあって、十八日には第二回目の会議が行われました。主席団会議では、新しい中央委員会の候補者名簿が提出されます。共産党大会で、次の新しい中央委員が正式に選ばれます。それが党大会において最も重要な行事です。

その主席団を仕切っているのが、秘書長の王滬寧（今回、序列四位の政治局常務委員に就任）です。もう一人が副秘書の陳希（政治局員）となります。陳希は中央組織部長で、前述したとおり、二人とも習近平に直結した子分です。つまり主席団を率いていたのが、実質上、習近平陣営だったということです。そこで大事なことですが、十月十八日に出された名簿には、実は李克強、汪洋、胡春華の名前があったというのです。

それを見て胡錦濤（共青団）派は安心した。候補者名簿が出されると各代表者に配って意見を聞くことになっています。ただ各代表団はいろいろと反応しますが、飽くまでも儀式的なもので特に意見は出しません。意見がないことを確認して候補者名簿はもう一度、上層部へ返されます。その返却期限は十月二十一日の午前中でした。それを受けて二十一日午前中に主席団が第三回目の会議を開いて、名簿草案が決定されます。その名簿草案には依然として李克強と汪洋と胡春華の名前がありました。それは閉幕式の前日のことです。そこで、共青団の全員が安心しきっていたのです。

というのも、中国共産党の歴史からすれば、ここまで進んだら、合意した通りの名簿草案が閉幕式で提出されて、名簿草案に載った候補者が中央委員に選出されて党大会が終わるからです。

宮崎　そのときまでは、特に問題はなかったわけだ。

石平　そうです。しかしその後、異変が起きたのです。十月二十一日の夜から翌日二十二日早朝にかけて、大会に参加する一部の代表が、異論を唱えたのでした。

全国から選ばれて大会に参加する代表たちはそれぞれの代表団に属しています。たとえば上海代表団、四川省代表団、広東省代表団など、そして人民解放軍からも解放軍代表団が送り込まれます。すると、二十一日夜にかけて、上海と重慶と天津の三つの代表団が揃って名簿草案に対して意見を提出したのでした。本来なら意見が出るはずがなく、これまでなら、名簿草案はそのまま上層部へ送られることになっていたのに、今回は違ったのです。その出た意見というのは、中央委員候補者の平均年齢が高いというわけです。もう少し、若い方がいいのではないかと。それにしても、同じようなクレームが三つの代表団から出たのは、誰かが裏で糸を引いているとしか思えません。

宮崎　天津、上海、重慶というのが臭うね（笑）。

石平　そうそう。天津、上海、重慶の共産党トップはみんな習近平の子分たちですからね。重慶は陳敏爾、上海が李強、天津は李鴻忠と習近平の太鼓持ちのような人物ばかりです。三つの代表団から一斉に出たということは、王滬寧を中心にした習近平陣営の工作・自作自演の猿芝居であることを裏付けています。この時点で、こうした意見が代表団から出たことは李克強たちには、何も伝わっていません。しかし、形式的にせよ、代表団から出た意見は秘書長王滬寧と、副秘書長陳希に伝わったことになっていますし、最初から仕組んでいるので、こうなることは分かっていた。

そこで、十月二十一日の深夜、もう一回、名簿草案を調整することになった。三つの代表団からの意見はその口実になった。しかも、その調整は密室で行われたのです。誰もその内実は分からない。そして一夜が明けて二十二日、九時から閉幕式が始まる。この閉幕式に李克強、汪洋、胡錦濤もみんな出席します。その閉幕式において、新しい中央委員会名簿の最終版が出されたのです。

閉幕式で最初の仕事は、提出された名簿草案に基づいて中央委員を選出することです。そこで、名簿は午前九時までに胡錦濤、李克強など幹部たちの席上に置かれ、そして各代表団にも配られました。

ということは、李克強も、汪洋も主席台のある壇上へ上がって座って、そこで手にした名簿の最終版を見て初めて自分たちの名前がない事に気づいたというのです。しかし、この時点で謀られたと分かったところで、どうにもならない。九時ギリギリで、各代表団など関係者はみんな座っている。ここで、名簿に俺の名前がないぞと叫び、騒ぐわけにはいかない。そこで、李克強らを次期指導部から排除する奇襲作戦が成功したのです。

胡錦濤の「強制連行」の裏舞台とは？

宮崎　そんな中、胡錦濤が突然、「強制連行」というか「強制退場」させられたね。

石平　党大会に出席した胡錦濤が突然、男たちに抱えられて、どういうわけか退席させられてしまった。その理由について二つの説がある。一説によると、胡錦濤が席に座ってこの名簿を見たら、自分の子分たち（李克強、汪洋）の名前が入っていないことに気が付いて、それで大騒ぎしたというもの。

この時点では、外国メディアは会場に入っていなかったから、その時の映像はありませんが、議長役の習近平はそれを無視して、そのまま中央委員の選挙に入った。最終版の名簿に基づいて投票されて、カタチ通りに承認されて一件落着となった。しかし、胡錦濤の物言いがまたあって、そのあとに、外国の記者、テレビクルーが会場内に入り、そこで日本メディアでも流されている胡錦濤の退場シーンが捉えられたというものです。

もうひとつの説は、未確認ですが、もっとすごい内容です。実は胡錦濤の目の前に置いてある名簿だけが、他の名簿と違っていたというのです。その胡錦濤の名簿には李克強と汪洋の名前が入っていた。だから、当初、胡錦濤は陰謀に気が付かなかった。

しかし選挙が終わってから、休憩時間となり、休憩室に居た胡錦濤に、誰かが李克強、汪洋らの名前が名簿に入っていないことを告げた。それで、急いで胡錦濤は自分の席に戻って、さっき見た名簿を確認しようとしたところで、粟戦書《りっせんしょ》たちがその名簿を取り上げようとした。ようするに、胡錦濤の前に置かれていたのは偽物の名簿で、それを確認されると困る。そこで、一悶着が起こったというのです。最終的には、その偽名簿は習近平派の関係者に持って行かれてしまった。

宮崎　事実だとしたら、凄いね。陰謀そのもの、サスペンス映画になりそう（笑）。

石平　この偽名簿説による「強制連行」が正しいのではないか。だから、陰謀の証拠となる偽名簿を暴露されることを習近平は怖れた。そこで、物言いをつけようとした胡錦濤を強制的に会場から追いだしたわけです。その名簿を取り上げて即、破棄したことでしょう。もう、この世には存在しません。だから真相は藪の中ですが、この説が有力です。

習近平はそこまでやるのかということです。もし、それが真実であるのならば、習近平たちは目的を達成するために、汚い手を何でも使う輩なのですよ。毛沢東時代でもそこまでやることはなかった。これはあくまでも一つの説ですが……。

宮崎　胡錦濤と離れた位置に座っていた李克強と汪洋は、その騒動に目を向けることもなく、ほとんど反応せず、ボケっとした感じの顔をしていたのも印象的だった。

石平　多分、彼らも分かっていたんでしょう。普通、健康上の問題で退場する場合、周りの人たちが当然関心を示すでしょう。それを、わざと見ないのは健康上の理由ではないことを知っていたのです。胡錦濤が健康上、体調がすぐれなくて退場するのなら、李克強はすぐに、駆け寄って対応したはずです。

宮崎　退場する時、胡錦濤は習近平に何かを言っていたけれど、唇を読む人がいれば、何を言ったのか分かると思うけど、無理かな？「シャービー」（傻逼）と言ったとか（笑）。

石平　いや、それは分からないでしょ。ただ、何か捨てゼリフを言った可能性はあるかもしれません。ともあれ、陰謀があったことを知った胡錦濤を退場させないと、まずいことになる。そこで、世界中のカメラが回っているのにも拘らず、あわてて強制退去させたというのが実情でしょうね。すべて、最初に決まっていた通り、猿芝居をやったのですが、ちょっとほころびが出てしまったというところでしょう。

いずれにしても、胡錦濤は、今後は永遠に外の人と接触することは出来なくなった。彼の口を死ぬまで封じ込めなければならない。完全に二十四時間監視されて、実質上軟禁状態でしょう。

習近平たちは、こういう姑息な手段を使って、党大会で、自分たちの陣営を拡張することに成功したのです。もう、そこらのヤクザのチンピラと一緒です。平気で人を騙す。政治的に勝負するというよりも、次元が低いところで利得を得ようとする。

王滬寧がこの十年間、陰謀の発信元だった

宮崎　胡錦濤の「強制連行」に関して、李克強と汪洋は騒がずだったけど曽慶紅も沈黙していたね。大変なことが起きているとの認識は、ほとんどの出席者にはなかったわけだね。

石平　その時は気付かなかったということもありうるでしょう。マイクは切られていたので、胡錦濤と栗戦書のやり取りは周辺の少人数しか聞こえていない。遠くに座っている人は何が起きたのか分からない。この陰謀（偽名簿）を謀った習近平と栗戦書、王滬寧の三名は胡錦濤の反乱の意味を知っていたけど、他のメンバーは知る由もなかったでしょう。ともかく、一番のワルは王滬寧ですね。

宮崎　王滬寧がこの十年間、陰謀の発信元ですよ。

石平　確かに。一番の黒幕。王滬寧がこの十年間やってきたことは、習近平をある意味、操ってきたと言えるのかも知れない。習近平にいろいろな事を吹き込んだ。「あなたは私の話に従えば、凄い指導者、大指導者になるよ」という話をきっと耳元で囁いていたに違いない。

王滬寧は、習近平を含めて、誰よりも共産党の内実をよく知っている。江沢民時代、胡錦濤政権時代から、彼はずっと政権の中枢にいました。だから、中国共産党権力者すべての情報を裏の裏まで摑んでいるのです。しかも、彼の立場上、毛沢東時代からの内部秘密文書すべて何でも読むことが出来るので、共産党内部で起きた権謀術数、陰謀すべてを知っている。

おそらく、今度の党大会のクーデターも、王滬寧が裏の首謀者に間違いないと睨んでいます。最後、胡錦濤を騙すというシナリオを描いたのも王滬寧でしょう。彼は、主席団の秘書長ですから、陰謀を仕切るのは簡単です。当然、事前に習近平と打ち合わせ済みです。

宮崎　そういえば、習の腹心でもあった王岐山は党大会には、はじめから欠席していたけど。これも何か理由はありますか。

石平　王岐山は党大会開催の前に副主席として海外を訪問していました。ある国際会議へ参加するためです。

宮崎　この大事な時に？

石平　党大会の始まる前に出国し、戻ってきていたものの、中国政府のルールでは帰国してから七日間プラス三日間、隔離が必要でした。それが終わって、閉幕式には間に合って王岐山は出席していましたね。

宮崎　手が込んでいますね。習近平は最近、王岐山と距離を取っていると聞いていますから、わざと海外へ出させた可能性があるかもしれない。

石平　いや、おそらく、その必要はないのでは。ともあれ、十月の党大会は完全に習近平たちが、胡錦濤を最後まで徹底的に騙そうとした茶番劇でもあったわけです。閉幕式で、急遽修正された名簿草案に基づいて中央委員を選出する時に初めて自分たちの名前がないことを知った李克強や汪洋たちは、胡錦濤が受け取った名簿が特別な偽名簿だったことを知らなかった可能性が高い。李克強としては、この名簿を見て、胡錦濤さんが何か言ってくれればいいのにと思っても偽名簿を見ていた胡錦濤は何も言わない。言いたくても、その投票の時点で胡錦濤は、ホンモノの名簿に李克強や汪洋の名前が入っていないことに気が付かなかった可能性が高い。だから、当然賛成票を投じた。

その段階では、投票は儀礼的なもので、手許の名簿のリストに異議があるかないかを確認するだけですから、胡錦濤は、その偽名簿を本物だと疑わなかったから、おそらく素直に賛成票を投じたのでしょう。しかし、投票後に、偽名簿だと分かったものの、時すでに遅しだった。

宮崎　どちらにせよ、北戴河会議での合意を無視し、長老たちとの合意を裏切ったことになる。

石平　そうです。そういう意味では完全に習近平のクーデターでした。こういうカタチで李克強などを追い出し、共青団派と全面決裂となった。

習近平は法学博士、李強はMBAなれど……

宮崎　新政権のメンバーに期待すべきリーダーは一人もいない。ということより絶望したね。しかも政治局員を見たら、ゴマすりが上手い人ばかり。ただ、注目すべきなのは、トップセブンの六人だけど、この中で趙楽際がなぜ残れたか。それは単純な理由で、完全に習近平にくっついたからです。また、ナンバーツーに大出世を遂げた李強ですが、上海市の二カ月に及ぶロックダウンで市民の不満が異常に高まったにも拘わらず、それだけ習近平の「ゼロコロナ」政策に忠実だったから選出されたわけです。だけどナンバーツーというのは、イコール首相だからね。この人事は中国国内でもサプライズで迎えられましたね。

石平　宮崎さんが指摘したように、サプライズであると同時に絶望しかないと私は思っています。その証拠に最高指導部メンバーを発表した翌日、上海株や香港株、ニューヨーク市場に上場している中国株も一斉に暴落した。

宮崎　確かに下がった。上海は六％も下落した。株価が落ちたのは、みんなビッグテックと言われている銘柄です。アリババ、テンセントなど将来を期待されている銘柄が約十二〜十六％の下落を記録しました。これは、世界をリードしていた中国のリーディングカンパニーの先が見えたということだと思う。これら中国企業の価値はますます失われていくでしょう。ハッキリ言って他の株はどうでもいいけど。

石平　宮崎さんもご存じのように、習近平は民間大企業を潰して、そのすべてを国有企業に吸収させたいと考えています。これが、習近平の基本的な経済方針です。しかし、過去十年間、習近平の思惑通りにならなかったのは、党内で李克強、汪洋など「改革開放」派が民間企業をもっと繁栄させようという考えがあったからです。その意見が強く、無視できなかったために習近平の思惑通りにならなかった。

しかし今回、新しい政治局常務委員から汪洋、李克強ら「改革開放」派が追い出された。習近平の取り巻きは李強をはじめ「イエスマン」だけです。だから、この国有企業の巨大化という習近平路線が本格的に今後進むでしょうね。つまり民間企業いじめが、はじまる。だから株も下落した。

さらに、李強が、これから首相になって経済運営の司令塔になる。しかし、李強は上海市トップになるまでに、浙江省などで、「党の幹部」としての仕事をこなしてきただけ。

実は中国政権には「党の幹部」と「政府の幹部」の両方がある。そして「政府の幹部」が実際の経済政策に携わるのです。李強はずっと党の組織部長とかの要職にあったため、ようするに経済運営に携わったことが全くないのです。

宮崎　でも、李強は上海市トップになってからテスラを誘致したこともあって、アメリカでは評判が良かった。しかも、この人、みかけによらず、ＭＢＡ（経営学修士）を持っているらしい。香港の財閥一位の李嘉誠の作った大学で、管理経済学修士を修得し、その点は、香港のビジネスマンの間では評価されていた。だから多少は期待している向きもあるのでは？

石平　いや、でもご存じのように、中共首脳が持っているというＭＢＡは、ほとんど名目のものでしかない。卒論や修士論文や博士論文を党幹部の代理で書くゴーストライターは一杯いますからね。習近平だって、清華大学の理系学部を出ているのに、なぜか法学博士ですよ。

宮崎　日本の某宗教団体のＩ先生なんかは、二百ぐらい博士号を持っている。まぁ、こちらは「名誉博士」だけど（笑）。

政治局は家臣・佞臣ばかり

宮崎　結局、習近平新体制を見て分かるのは、中国王朝時代の権力闘争によくあった謀略の数々が、二一世紀に再現されたということです。ようするに皇帝と家臣。家臣はみんな佞臣《ねいしん》です。佞臣というのは、主君にこびへつらいながら、心中によこしまな考えを持つ臣下のことですが、中国の歴史を見ると、皇帝に忠誠度が高い忠臣ほど、すぐに裏切り佞臣になるという特徴を持っている。ただ、この新しい政治局常務委員の中に習近平を裏切るほどの度胸のある人物がいないね。

石平　まあ、王滬寧ぐらいですかな。

宮崎　今後、予想されるのは、これからこの中枢七人と共産党全体とが対立していくことでしょう。われわれが見えないところで、その激突がいずれ起きるのではないですか。

石平　最高指導部はゴマすりのうまい側近たちばかりですから、幹部に、いくら勤勉で有能な人物がいても政治局などに入れません。いくら頑張っても習近平の取り巻き、側近でない限り上に行けないのです。そうなると、これから起きてくる事は、下の幹部たちは、もちろん習近平に立てつくことは出来ないし、誰も「力」を発揮できない。当然、政権運営に協力もしない。「七人にすべて任すよ」というムードが充満する。となると、逆にこの七人が浮いてくることになる。

宮崎　もう一つ、この七人では経済運営はうまく行きませんから、みんな「ざまあみろ」と思うのではないか。要は、お手並み拝見という事でしょう。

石平　そうです。それに絡んで、さらに問題があります。というのは、最高指導部はこれで決まったが、ご存じのように二〇二三年三月の全人代までは李克強は相変わらず首相です。その李克強の今の気持ちは「中国経済を救う」というよりも、「あとは野となれ山となれ」どころか、「中国経済潰してやろう」という気持ちにおそらくなっているのではないですか。

宮崎　それは、あり得る話です。汪洋だって、二〇二三年三月まで全国政治協商会議主席ですからね。

石平　それにしても、習近平は浅はかな人事をやった。胡春華の処遇です。彼は非常に有能です。内モンゴル自治区党書記を経て広東省書記も務めて、しかも副首相を長くやった。副首相をやっていた時に、農村問題をかなりの程度改革するなど、経済全般について実に知見が深いのです。

それなのに、今回、習近平は胡春華を昇進させないどころか、政治局（政治局員）からも追い出し中央委員に降格してしまった。実は胡春華は共青団出身だけど、党大会の前に習近平の子分になろうとして、人民日報で習近平を絶賛したことがあった。二〇二二年七月に寄稿文を掲載し、習近平の名前に五十一回も触れ「習総書記の重要な論述は深い理論的根源、科学的な理論体系、革新的な理論の観点を持っている」と述べて習近平に忠誠を誓っていたのです。

もし習近平に毛沢東程度の度量、器量があったのならば敢えて、胡春華を使ったことでしょう。たとえば胡春華を政治局常務委員に昇格させ、筆頭副首相にする。そして中国経済の運営に当たらせる。そうしたら胡春華は感激して習近平のために、命を掛けて実務をこなしてくれたでしょう。それを見た下の幹部たちは希望が持てるわけです。習近平の昔からの側近でなくとも、仕事で頑張って実績が認められたら、昇進する可能性があるのだと。

宮崎　確かに、胡春華はみんなの希望だった。

石平　しかし、優秀な胡春華でさえ降格させられて、他の連中は「明日は我が身」で、いずれ自分も崖っぷちから転落していくだけだと悲観的な心境に追いやられてしまっている。絶望しか残っていない。習近平の側近でない限り、いくら頑張っても出世は不可能です。

でも、その側近には有能な実力者はいない。たとえば、新しい政治局常務委員会の中で、六番目の丁薛祥が二〇二三年三月の全人代で筆頭副首相になります。しかし、ハッキリ言ってこの人に筆頭副首相は務まらない。丁も李強と同様に今日に至るまでずっと仕事は党務畑で、経済の運営に携わったことは一度もないからです。

さらに面白いことに首相の李強、筆頭副首相の丁薛祥ともに国務院で仕事をしたことが一度もありません。いままで中国において首相になる人物は国務院にまず入って、副首相を経験します。李克強も温家宝も、首相になる前は副首相でした。今回、副首相の経験のない李強が首相になることは極めて異例です。これって、中国経済を潰すための人事としか思えないぐらいですよ(苦笑)。

宮崎　二〇二三年三月までの間、李強を臨時だけどいきなり副首相にして国務院に派遣して経験させる、という説が出ているけどね。だけど国務院はあまり力がない。ようするに、国務院に実質的な権限はないでしょう。中央銀行だってそうでしょう。総裁がいるけど結局、金利は中央政治局で決定している。それよりも、逆を言うと、胡春華の中央委員への転落と、共青団がみんな排除されたことによって、党内で公然たる反習近平派ができたことになる。この人たちは中国の経済運営に協力しないから、ますます中国経済はダメになるでしょうね。

統計数字の誤魔化しはさらに拡大する！

石平　協力するどころか、むしろ足を引っ張る。そこは、彼らは上手ですよ。上層部が気の付かない形で、色々なやり方で邪魔をしてくる。その知恵はいくらでもある。これで、中国経済は〝嬉しいこと〟に音を立てて瓦解するね。間違いない。しかも、景気は人の気持ちが大事ですよ。市民や企業経営者などみんな将来が明るいと思えば、消費も盛んになるし、投資も増えるでしょう。企業規模を大きくしようとする意欲もわく。将来の展望が暗くなると、その逆になる。

宮崎　景気の「気」というのは、元気の「気」だからね。それが、一番大事なことですけれども、サプライズ人事を発表した翌日十月二十四日に、予定より発表が遅れていたG

DPを公表した。そうしたら、七~九月の実質GDPは前年同期比で三・九%増えたとのこと。中国経済の展望に関しては第四章で詳しく述べますが、それにしても数字が悪いから遅らせたというのなら、こんなにいい数字（本当はマイナスのはず）であるわけがない。

石平　いい数字なら、予定通り、党大会前の十月十八日に発表したはず。

宮崎　中国政府の今年の目標が五・五%だから、それを下回ったのは事実で、当大会中の発表は難しかったのでしょう。だけども、誰が見たって不動産業界が大きく落ち込んで、人がモノを買わないのにGDPが上がるわけがない。セメントから鉄鋼などすべて需要が落ち込んでいるんだから。

しかも、日本はコロナで観光産業がすごい落ち込んでいたけど、中国の観光業は目茶苦茶酷い。二〇二二年、国慶節の十日間で、エメラルドグリーンの淡水湖で有名な九寨《きゅうさい》溝《こう》（四川省北部にある自然保護区）に行った観光客はわずか。とくに初日は、たったの一人だった。完全な一人貸し切り状態だったとのこと。笑ってしまった。

私は、以前、九寨溝にも行ってますが、同じ四川省の峨眉山（標高三〇九〇メートル）のロープウェイに乗ろうとしたら何と四時間待ちだった。それぐらい混む観光地が、まったく人気《ひとけ》のない超閑散街となってしまっている。景気が落ち込むはず。

石平　九塞溝は普通なら国慶節の時、一日十万人の観光客が来るところです。日本で言えば、上高地のようなところ。面積はそれより十倍以上ある。そこに初日に訪れたのが一人だったというのは衝撃的ですね。

宮崎　ようするに、観光地に入る三日前にコロナ検査をして、プラス二十四時間前にもう一回、検査をしなければならない。その書類を、すべて持って係員に見せないと中に入れないことになっている。

話を元に戻すと、それぐらい中国の景気は悪い。にも拘らず、三・九％も成長したというのは、繰り返すけど、本当に首をかしげるね。やっぱり、作為に作為を重ねて数字を誤魔化しているとしか思えない。つまり中国経済の惨状をこれ以上、外国に知られたくないという意向が働いたのでしょう。いずれにしても、そこまで追い込まれている。

石平　しかも、この粉飾傾向は今後ますます強くなる。李克強首相は数字に厳しかった。李克強自身も遼寧省トップを務めていた時代に「自分は国家統計局の数字は信用しない」ことを明らかにしたことがあった。李克強が重視したのは鉄道貨物輸送量、電力消費量、銀行の貸出し額など、誤魔化しのきかない数字でした。

だから、李克強が首相の時は統計局の自制がまだ多少なりとも働いていた。あまりにも、出鱈目の数字を出したら、首相に怒られるからです。

しかし、これから李強体制になれば、どうせ、上は細かい数字なんか分からないから、ウソの数字を発表しても大丈夫だとなりかねない。しかも李強たちからすれば、これから経済統計で悪い数字を出したら習近平に怒られるのは分かっている。では、どうすればいいか。ウソの数字をさらに大きくして出せばいい。そうすれば「裸の王様」の習近平は喜ぶ。それだけの話。

宮崎 今までもごまかしの数字は日常化していたけど、これから、数字の粉飾はもっと常態化するね。今後あまりにも異質な数字が出てくるのではないか。

石平 そうなる可能性は非常に高い。

明王朝が滅亡したころを彷彿させられる

宮崎 ともあれ、習近平は、四期目を狙うでしょうね。

石平 当然でしょ。

宮崎　四期目が議論されることになる第二十一回共産党大会開催は二〇二七年秋の予定です。そうすると、四選を確保し、台湾併合の功績を讃えてもらうために二〇二六年から二〇二七年半ばまでに台湾侵攻を実行する可能性が高まるのは前述したように、必然ですね。今まで、アメリカ政府や軍関係者が証言してきた二〇二八年ではなくて、一〜二年間早まる可能性が出てきた。

石平　そもそも、前述したように、自分の後継者になりそうな人物は政治局に入れなかった。という事は間違いなく、習近平は四期目をやり、ひいては終身独裁を目指している。本当の独裁者は、スターリンや毛沢東や金日成のように「死ぬそのときまで権力を持っている」。そこで、党の規約に習近平は二つの「確立」を盛り込もうとした。党の核心としての「地位の確立」と「習近平思想の確立」です。

宮崎　だけど、十月二十六日に中国共産党が公表した党規約全文を見ると、この二つのスローガン、そして「領袖」という肩書も明記されなかった。産経は「最高指導部も側近らで固める権力集中を図っており、名を捨てて実を取った可能性もある」(二〇二二年十月二十八日付)と解説していた。私たちの知らないところで、反習近平派が巻き返しているのかも知れない。

石平　ただ、習近平は間違いなく永久独裁を目論んでいる。

宮崎　上海市を二カ月もロックダウンさせて平気の平左だった習近平の頭に、市民生活や経済のことなどなんにもない。そんな国家主席が、あと十年どころか、死ぬまで政権を握ったら中国国民は不幸になるばかりだ。

石平　しかも、これまで共産党の中で、ゼロコロナ政策に一番、反対してきたのは李克強です。その人が政権から消えるわけですから、今後も時と場合によっては、ゼロコロナ政策を徹底的にやるでしょう。

ゼロコロナ政策を止められない理由

宮崎　その習近平のゼロコロナ政策が兎に角、酷いことになっているね。中国では、ゼロコロナ政策は病気対策ではなくて、政治的な問題になってきています。つまり、それを理由に政敵を封じ込めたりしているからね。だから止められない。

石平　大都市の深圳や上海、そして北京の一部が次々とロックダウンされた。二〇二二年九月には私のふるさと四川省成都でも二週間封鎖されてしまった。

成都のロックダウンは本当に笑い話です。九月一日にロックダウンされたのですが、その前日、成都の新規感染者数はわずか百五十六名ですよ。同じころ（八月三十一日）、東京都の新規感染者数は一万五千人でした。成都の百倍以上です。そこまで、極端な対策を中国は行う。成都市の人口は二千百万人です。九月一日夜六時から全市民は原則的に自宅待機となり、外出には二十四時間以内に受けたＰＣＲ検査の陰性証明が必要となる。一家族につき一人だけ一日一回、買い物の外出が許されるだけ。地下鉄やバスの運行は停止、感染者や濃厚接触者が出たマンションは一切外出不可となり完全に封鎖されてしまった。

宮崎　さらに、中国南部のリゾート地、海南省の海南島でも、突如として公共交通機関を一斉に運行停止して、人々の移動を制限すると発表したことがあったね。この発表は真夏の八月六日早朝で、そこいた約八万人の観光客が足止めを食らってしまった。観光客の休日は、ロックダウンで一気に暗転した。

このようにロックダウンはいつでも、どこでも突然、実施されるわけで、だから、中国市民は「怖くて外出できない」と嘆いている。

約三億人が都市封鎖の影響を受ける

石平　さらにロックダウンになると企業も原則、在宅勤務となり、工場の生産操業は突然、停止してしまうことになる。だから企業経営者は大変です。もちろん飲食店は出前だけの営業となり映画館やジムなどは完全に閉鎖。トラック輸送に対する制限もあって、食料や生活物資が不足する事態に陥った都市もある。

このように大都会でのロックダウンは悪影響が大き過ぎます。野村ホールディングスの野村国際（香港）の推計では、都市封鎖や移動制限の対象は二〇二二年九月六日時点で四十九都市の約二億九千百七十万人となったといいます。つまり中国の総人口の二割を占めたことになります。

宮崎　中国では変異株オミクロン型の流行で二〇二二年三月以降、感染が急増してしまい、四月には新規感染者が一日当たり四万人に達してしまった。でも、ロックダウンの効果で数十人にまで減ったのです。しかし、感染力の強い「ＢＡ・５」で、再び（新規感染者は）増加の兆しにあります。すると再度、上海市など大都市でのロックダウンが想定されるわけです。このままでは、行動制限を受ける人口の割合は今後、間違いなく高まるね。

石平　ゼロコロナ政策による経済的な破壊効果はもの凄い。だから、李克強はゼロコロナ政策より経済回復を強調していたわけです。二〇二二年、中国経済の足を引っ張った最大の理由のひとつはゼロコロナ政策であることに間違いありません。

しかし、それでも習近平がゼロコロナ政策を止められないのは、政治的な問題があるからです。コロナ封じ込めは習近平政権にとって民衆をコントロールできる非常に便利な手段であること。もうひとつ、ゼロコロナ政策がこの数年間、習近平政権の看板政策のひとつになって、習近平のメンツにかかわるからです。それ故に、どんなことがあっても止められません。

日本、アメリカ、そしてヨーロッパ諸国は「ウィズコロナ」政策を実行して、ある意味、耐えてきました。日本でも一日、感染者が多い日で東京都だけでも三万八千人以上、全国ベースでは二十五万人以上を記録しました。でも、それを乗り越えることで、徐々にですがウィズコロナの時代に移っていっているわけです。二〇二二年秋の日本シリーズもサッカーもラグビー（日本&ニュージーランド）も何万人もの観衆を集めて普通に開催されている。マスクこそしていますが、もう日本ではコロナは事実上、インフルエンザ扱い。全国旅行支援も始まり、中国人を除く外国人観光客も円安効果もあって、あちこちで見かけるようになり、ホテル・旅館・観光業もひといきついている。

しかし、承知の通り中国はずっと、ゼロコロナ政策を徹底的に実施してきたわけです。だから中国国民のコロナウイルス耐性力は強くありません。その観点からも、ゼロコロナ政策を一旦止めたら、間違いなく感染は大爆発するでしょう。

中国は人口が多いから、一日当たり何百万人単位で新規感染者が発生する可能性が大きい。その点に、社会的な困難がある。習近平としては少なくとも、二〇二三年三月の全人代開催までは感染を拡大させたくないと思っているはずです。

宮崎　とすると、中国政府はゼロコロナ政策を二〇二三年以降も継続するつもりですね。

石平　その通りです。二〇二二年十月十日から十二日まで連続三日間、共産党中央委員会機関紙の人民日報は二面においてコロナ対策に関する論評を掲載しました。署名はいずれも「仲音＝中国の声」、人民日報が重要論評を発表する時によく使うペンネームです。この三つの論評の内容は全部、政権のゼロコロナ政策を賛美・擁護するもので、中心となっているのは十月十一日に人民日報に掲載された記事です。タイトルは「ゼロコロナ政策（動態清零）は持続可能、堅持しなければならない」という長文の論評です。

その論評は冒頭から「疫情（コロナ感染拡散状況）は大きな試練だが、疫情のコントロールが出来たからこそ、経済が安定し人民の生活は平安を保ち、経済・社会の平穏、発展は初めて可能である」としたうえで、疫情（コロナ拡散）の封じ込めの成功は経済・社会安定と発展の前提であるとの認識を明確に示したというのです。それをやらなければ、社会も経済も安定しないし、発展できないと。

さらに論評は「中国は十四億人の大国、地域間の発展は不均衡、医療資源は総量的に不足。封じ込め政策を緩めると、感染しやすい人々の感染リスクは高まり、今までの反動で一旦大規模な感染拡大が起きると、それは経済・社会に与える衝撃は大きい。最終的にはより高い対価を払い、より大きな損失を蒙る」とコロナ封じ込め策を緩めた場合のコストの大きさと問題の深刻さを強調しました。緩めたら大変な話になると脅している。

こうしたうえで、論評は「ゼロコロナ政策の堅持によって、われわれはもっとも小さな代価で最大効果の拡散防止を実現でき、疫病の経済・社会に対する影響を最小限に止めることが出来た。ゼロコロナ政策は社会的コストのもっとも低いコロナ対策であって、わが国にとっての最もよい選択である」と、正面からゼロコロナ政策を絶賛し、「最良の政策」であるとアピールしたわけです。

「ゼロコロナ」で「ゼロ成長」「マイナス成長」へ？

宮崎 でも、ゼロコロナ政策がいつまでも、出来るわけがない。なぜなら、完全に鎖国するのなら話は別ですが、中国は世界とのつながりを完全に切ることはできないからです。中国も含めて我々、人類社会はウィズコロナ政策へ進むしかないのです。こうした意味から、中国が二〇二三年も二〇二四年もずっとゼロコロナ政策をやれるはずがないと思いますね。

石平 それに関して、この人民日報の論評では「コロナを完全にゼロにすることは目標ではないが、一例でも見つかったらそれを撲滅し、コロナが、その発見された地域で拡散するのを許さないだけではなく、その他の地域への拡散も阻止しなければならない」とロックダウンを含めた厳重な封じ込め策の継続を肯定しています。

宮崎 だけど、ゼロコロナ政策をやり続ければ、数年間で中国経済は絶対に崩壊する。

もたないでしょう。中国国内にある西側の工場は海外へ移転してしまい、個人消費も大きく停滞するから。「ゼロコロナ」に固執したら「ゼロ成長」になる、いや「マイナス成長」になるのは必至だね（笑）。

石平　これに対して、この論評は経済が大事ではなくて、ゼロコロナ政策があるからこそ、経済も社会も安定し、発展できる、ゼロコロナ政策がむしろ、経済安定と発展の前提となっていると強調することによって、経済重視派の封じ込めに躍起となっています。

たしかに、ゼロコロナ政策を止めたら中国国内で、大変な感染拡大を起こしてしまう危険性は高いでしょうね。このジレンマを中国共産党は抱えている。

宮崎　日本と中国を比べた場合、ちょっと感染の質が違うのではないかな。日本政府は中国人観光客を受け入れるといっているが、困ったものだね。受け入れたら悪質なウイルスが拡大するのではないかと心配です。

日本の場合、コロナウイルスはもう風邪みたいなものですよ。死人はほとんど出ませんしね。普通のインフルエンザだって一年間で一万人前後亡くなっています。三年間（二〇二〇年二月〜二〇二二年十一月）で、コロナウイルス死亡者が五万人ぐらいですから、普通のインフルエンザとあまり変わらないですよね。

石平　実は中国でも、興味深い変化が起きました。二〇二二年八月三十日国慶節の前日、中国共産党政権は二つの行事を執り行ったのです。ひとつが三十日午前中に天安門広場にある人民英雄記念碑の毎年恒例の献花式です。今年も習近平国家主席以下、政治局常務委員全員が出席しました。

そこで私は、珍しい場面を見たのです。出席者がみなマスクを着けていなかった。中国共産党の正式行事でこの数年間、マスクを着けていない要人を見るのは、初めてのことです。ただ、二〇二二年十月の共産党大会では、壇上にいるお偉方はマスクをしていなかったけど、議場にいる代議員や接遇する関係者はマスクをしていましたが……。

宮崎　それが、徐々にゼロコロナ政策を緩和する前触れかも知れないね。前兆となる可能性が僅かですが出てきている。さすがに、ゼロコロナ政策を止めないと、もう中国は自分で自分の首を絞めることになりかねない。

石平　でも止めたら、人民日報でも主張していましたが、大変な感染拡大が待ち受けている。中国の衛生環境、医療環境はまだまだ良くないから、感染爆発したら中国社会は間違いなく大混乱になるでしょう。もうひとつ、中国人は共産党政権の強制には大人しく従うが、強制が無くなったら逆に好き勝手なことをやってしまう。だから、「ウィズコロナ」に政策を転換して開放したら、みんな好き勝手なことをやって感染の大拡大が起きてしまう。日本人はいまでも、電車の中はむろんのこと、不要だといっても、外を歩く時もマスクをしているけど。

宮崎　それを、「同調圧力」というのだけどね。地下鉄に乗ってマスクをしないと、白い目で見られる。朝、マラソンの練習をしている人もマスクをして走ってますよ。十一月中旬に、うっかりマスクを忘れて地下鉄に乗ったら本当に白い眼で見られました。

腐敗した共産王朝も明と同じように滅びる！

宮崎　ともあれ、中国というのは政治的に乱暴な国家で、かつて毛沢東が「国民が餓死しても核兵器を開発する」と発言したことがあった。国民が飢えて死んでも、食料をロシアに提供して代わりに核開発をした。極端な話、習近平にとって上海市民が半分死のうが関係ないのでしょうね。

石平　ちなみに、党大会が終わってから、中国国内から出た情報では、上海市に住んでいる資産家たちが一斉に所有していた豪邸を急いで、売りさばいているらしい。価格は急落している。だけど、もう価格はどうでもいい。半値でも売って兎に角、現金を手にして海外に逃げる算段を開始しているそうです。

宮崎　今は四割安くしても売れないらしいね。

石平　今、上海で豪邸を買うチャンスですよ。ただ買った後に、もっと下がる危険性がある。

いずれにしても極端な習近平独裁政権が出来た。取り巻きは「イエスマン」ばかりで、有能な人は去っていく。ということは、我々にとって素晴らしい政権です。ようするに中国経済成長の神話は完全に崩れ、経済はドンドン悪くなっていく以外にない。

ただ、得るものがあれば失うものが出てくる。前章でも論じ合ったように、経済悪化を糊塗するために、台湾へ侵略戦争を仕掛ける可能性も高まってくる。しかも、このイエスマンを集めた政治体制下では、習近平が戦争を発動しようとしたら誰も、止める人物はいない。中国国民も止めることはできない。というわけで、あらゆる面から見ても、非常に危険な政権です。

確かに中国政権は、これまでも一党独裁でしたが、党の中で各派閥がけん制し合い、バランスが取れた仕組みがあった。毛沢東時代でさえ、林彪もいたし、周恩来は毛沢東の子分ではなく終始、毛沢東は彼を警戒していた。胡錦濤は温家宝とほぼ平等な立場で、とくに経済運営に関しては、温家宝が責任を持って指揮していました。これからの習近平政権は、首相が習近平国家主席の第一の子分という、前代未聞の体制下でのスタートです。

宮崎　胡錦濤は、バックに江沢民がいて院政を敷《し》いていたから、彼自身の自由な裁量権はあまりなかった。だから江沢民支配下の人民解放軍の腐敗には手が出せなかった。まぁ、民主国家の三権分立ではないけど、へんな意味で、権力分立状態だった。いまにして思えば、まだマシだったと言える。

石平　習近平は毛沢東になろうとしている。しかし、悪さの点は変わらないが度量、器量の面で習近平は劣ります。毛沢東は人を使うのが上手でした。たとえば、周恩来をずっと首相として使っていたでしょう。有能だったからです。あるいは毛沢東は二回、鄧小平を追放したけど、必要となれば、再び鄧小平を呼び戻して使った。もちろん、毛沢東は鄧小平が自分に対して敵愾心をもっていることを知っていました。しかし、それでも鄧小平が必要なら使いこなすわけです。しかし、習近平は、イエスマンしか使いこなせない。

もし、前述したように、李克強を政治局に残し、汪洋を首相に就任させ、胡春華を筆頭副首相にしたら今の局面は全然、違ったものになっていたでしょうね。中国民衆も外国資本もそれほど失望しなかった。

宮崎　庶民にとって毛沢東は酷い指導者だったけれど、周恩来がいたから、何とか納得していた。今度、それがない。誰に周恩来の役を託したらいいのか、その代わりがいません。

石平　昔、中国は貧困であれほど酷い状況下でも、周恩来がいるから、何か希望が持てたのです。しかし、周恩来になるような有能な人物を習近平は使いこなせない。仮にそのような期待できる人物がいても、自分の地位を脅かすのではないかと疑心暗鬼になって切り捨ててしまう。

だけど、李克強・汪洋らはむしろ、排除されたことでホッとしたかもしれない。胸をなでおろしたかもしれない。というのは、もし汪洋が首相になったら習近平のために「火中の栗を拾う」ことになり、大変な仕事をさせられるところだった。

宮崎　それで、しかも報われない。失敗したら責任を取らされるだけ。

石平　党大会の閉幕式で汪洋たちが排除されることを知りながら憮然として座っていた

だけなのは、おそらく逆に安心したのかもしれない。これで自己矛盾から解放される。後は、李強たちに任せようという心境になっていたのかもしれない。

宮崎　それと、もう習近平たちの顔を毎日、見なくてよくなったから喜んでいたのかもしれないね（笑）。

石平　ただ、それって、中国王朝の末期症状を彷彿させます。明王朝が滅亡したころと同じ。有能な大臣であればあるほど排除されて、無能なイエスマンたちだけがバカ殿様、バカ皇帝の周辺でウロウロするようになる。そして最後には、みな一緒に滅ぶしかない。それが歴史の必然であり、歴史は悲劇として繰り返されるのです（笑）。

宮崎　ウルムチで二〇二二年十一月二十四日に、コロナ対策の都市封鎖が原因で消防隊出動が遅れ十名が焼死体となった事件をきっかけに、十一月二十七日から二十八日にかけて、中国全土で反・習近平抗議集会が行われました。いわゆる「白紙革命」。このデモの背後に、共青団やディープステートがいると見る向きもあるかもしれないけど、これは、自然発生の抗議でしょう。逆に、反習近平の怨嗟に対して、当局側が一種の「ガス抜き」として、デモを暗黙に許可したのかもしれないが、だとしたら、かえって火に油を注ぐことになったともいえる。

石平　それにしても中国国内で「反習近平」「自由がほしい」の叫びが谺したのは画期的でした。

宮崎　東ドイツのベルリンの壁も民衆の抗議によって瞬時に崩壊したし、ルーマニアのチャウシェスクもあっというまに独裁者の地位を失い銃殺刑に処せられた。もしかしたら、「習近平最後の五年間」が始まったのかもしれない。武漢ウイルスによるコロナ拡散で世界に迷惑をかけた「共産皇帝」が任期をまっとうできずに失脚するとしたら、それは自業自得、因果応報で結構なことでしょう。

第四章

沈みゆく中国船にしがみつく悲劇

日本企業よ、「撤退バスに乗り遅れるな」

史上最悪の低成長率、全国各地で取り付け騒ぎ

石平　最後に、中国経済のこれからについて論じましょう。二〇二二年に入ってから中国の実体経済はすごく悪くなった。たとえば、中国政府が発表した数字だけでも、今年上半期は、成長率が二・五パーセントと低成長にとどまっています。

第2四半期四月～六月までの成長率が〇・四パーセントだった。実はこの〇・四パーセントという数字は中国政府が経済成長率を発表しだしてから二番目に低い数字だったのです。一番、低かったのは二〇二〇年の第1四半期、コロナウイルスが中国全国に大拡散した時期で、マイナス六・八パーセントでした。政府発表数字としては天安門事件直後でも、そこまで落ちたことはなかった。

これは、飽くまでも水増しが言われる表向きの数字で、この有様です。実態はもっと酷いことになっていると思います。ちなみに、中国政府が二〇二二年当初、三月の全人代で定めた数値目標は五・五パーセント成長でした。上半期で二・五パーセントですから、ほぼ確実に五・五パーセント達成は不可能です。

宮崎　二〇二二年十月十八日の発表予定だった国内総生産速報値も、党大会前ということで遅らせて、十月二十四日にやっと公表したけど、七月～九月は三・九%。一月～九月期で見ると三%。目標の五・五%は絶対無理だ。

石平　実は、中国政府がこの上半期数字を発表した二〇二二年七月十五日、同じ日に清華大学経済管理学院教授の鄭敏煌氏が自分のネット番組で、大変注目すべき、というか驚くべき情報を発信したのです。それは何かというと、「今年上半期だけで、中国全国での企業倒産件数が四十六万件に達し、中国の若者たちの失業者も八千万人に上っている」というのです。

ちなみに、日本はどうなっているのか。日本の東京商工リサーチが公表したところによると二〇二二年上半期の日本企業倒産件数は三千六十件でした。中国の人口は日本の十一・六倍です。それを勘案すると、中国の倒産件数が日本の十一・六倍なら理解できますが、しかし、日本の百五十倍にもなってしまう。とんでもない数字です。

宮崎　第一に、中国政府発表の数字は、だいたい三割水増しと考えた方がいい。実態は三割マイナスにすれば実態に近いと思っています。二番目に借金が問題です。社会的な融資金額が六千八百兆円にも上ります。ところが、不良債権は政府公表数字ですが、今年上半期ベースで、僅か十四兆円規模なのです。これってまったく、おかしいでしょう。

それで、銀行が貸している住宅ローンの残高はどのくらいあるのか。ゴールドマン・サックスの調べによると、一千二百三十四兆円でした。日本のＧＤＰの二倍強と巨額です。このうち、何割かは不良債権化するわけですが、それが問題です。銀行は住宅ローンの他に、ディベロッパーにもカネを貸しています。これが、約二百三十兆円ある。この数字を見ただけでも、マンションのブームが終わったら、中国経済全体がガクッと来るのは目に見えています。

実際、全国各地の地方銀行で取り付け騒ぎが始まった。中国河南省で複数の地方銀行で総額八千億円規模の預金が引き出せなくなりました。この問題で大規模な抗議デモへと発展する事態となったのです。具体的に言うと、問題が起きたのは「兎州新民生村鎮銀行」などの四行です。いずれも小規模な金融機関でしたが、報道されて話題となったことから社会に対する影響は大きかった。そこで、地方政府は五万元（約百万円）以下の預金者を対象に「立て替え払い」を行い、何とか預金者の怒りを鎮めたのですが、取り付け騒ぎは現在でも治まっていません。

さらに、金融問題でいうと、三百万戸以上のマンション建設が中止になっていて、その住宅ローンを払いたくない購入者たちが、ネットで呼びかけて支払いをボイコットしていますね。

石平　ええ、深刻な事態です。二〇二二年六月三十日に不動産開発大手の恒大集団が江西省の景徳鎮で建設中のマンション購入者全員が住宅ローンの不払いを宣言したのがキッカケでした。物件自体が「爛尾楼」（建設途中で工事が中止となった不動産物件）となったため、「工事が再開されない限り二〇二二年十一月から購入するために銀行から借りた住宅ローンの支払いを停止する」と購入予定者が発表したのです。七月には北京市、広州市、武漢市、河北省、湖南省など全国二十の都市と省で、同様の抗議活動が起こり、「爛尾楼」の購入者たちが支払い停止を宣言した。この時点で、住宅ローンの支払い拒否者は全国で数十万人に上ったのです。抗議は中国全土へ瞬く間に広がり、大きな社会問題となってしまった。

　野村証券によると、中国の不動産開発業者が二〇一三年から二〇二〇年に事前販売した住宅のうち、六割程度しか引き渡されていない。一方でこの間、住宅ローンは約二十六兆元増えました（二〇二二年八月十四日付、日本経済新聞）。

　こうした状況下、S&Pグローバルは〇・九七兆元～二・四四兆元（約二〇兆～五〇兆円）の住宅ローンが不払いのリスクにさらされると推計（二〇二二年九月六日付、日本経済新聞）しています。住宅ローンの行き詰まりは銀行経営にも直結する問題です。

懲りもせず「融資平台」がまた復活

宮崎　しかも、不動産業界の沈没は即、地方政府の財政難に直結します。

そこで、苦肉の策として地方政府がやり出したのが「融資平台」です。ゾンビの復活です。「融資平台」とは、中国の地方政府が傘下に置く投資会社で、資金調達とデベロッパーの機能を兼ね備えていて、地方政府の信用力を背景に銀行借入や債券発行などを通じて資金を調達し、地方政府の指示に従って公共住宅や社会インフラなどを建設しているのです。

それを使って、市民のカネを地方政府がかなり吸い上げているのです。融資平台を復活させて、「高利回り商品」を市町村単位で売り出しています。何を名目にしているかと言えば、「バイオシティ建設債」、「スマートシティ建設債」、「グリーンシティ建設債」とかです。かつての「理財商品」（中国国内で販売されている高利回りの資産運用商品。元本保証されていないものも多い）とは異なる、新鮮なイメージを打ち出し、カネを集めているのです。しかも、その金利がすごい。八・八パーセントとか、十パーセントもある。世間の常識から言えば、今の時代、こんな高い金利を支払えるような事業などない。そんなことは、子どもだって分かるはずです。

銀行の定期預金の利率が一・五パーセント、住宅ローン金利が確か四・三パーセントです。ちなみに日本の住宅金利は〇・五パーセントくらいですね。

こうしたことから中国の地方財政、金融業界はともに二進も三進もいかない状況が浮かび上がってきます。満期が来ても投資したカネは返ってこず、懲りているはずなのに、同じような過ちを再び犯している。

だけど、中国国民の中には、騙されやすい零細投資家がいるのです。それで今は何とか銀行経営がつながっている。これが、いつまで持つか。それが大きな問題です。

石平　政府からの対策は何もとられていない？

宮崎　いや、少しはやっている。というのも、中国政府として喫緊の課題は一刻も早くマンションの建設を完成させて購入者を入居させること。だから、現在、中国政府は住宅市場の混乱を解消するために、金融支援に乗り出した。不動産企業の資金不足で工事が止まったマンションの完成を促すために、政策銀行が二千億元（約四兆一千億円）の融資枠を設定しました。それを、李克強か誰が指導しているのか分からないけど、全体的に言えることは、そういうふうに、中国経済は追い込まれているという事実です。

失業は増大、企業収益は低下、賃金は減少

石平　マンション危機以上に深刻なのは、失業問題ですね。

宮崎　習近平は、格差拡大を防ぐためと称して、これは、党のイデオロギー支配が及ばないところでの教育をコントロールするという意味合いもあるのですが、学習塾、予備校を廃校にし、家庭教師も禁止したでしょう。これで、若者中心に失業者は、どれぐらい発生したかというと、学習参考書関係の人も含めると約一千万人ですよ。みんな二十代の若い人たちだからね。

学習塾に行かなくてよくなったから当初、生徒たちは喜んでいたが、でも、何かおかしい、異常だと、子どもや親も感じ始めています。子どもは学習塾や予備校に行かず、勉強をせずに家に帰ったらマンガを読んでいる。それで、いいのかなと、小学生の子ど

もでもヒシヒシと感じているのではないですか。そして、コロナによるロックダウンもあって親はテレワークだと称して、これまた家で毎日ゴロゴロしている。親子そろって怠惰になってしまっているというのが、今の中国の状況ではないでしょうか。

石平　政府が公表した表向きの経済成長率の数字を先ほど述べましたが、しかし、その中身を見ると、かなり状況は悪い。

たとえば、政府が発表した数字ではなくて、各企業が発表した業績数字、または業界が公表した状況を見ると不振の度合いが良く分かります。中国自動車工業協会が発表（二〇二二年七月十一日）したところによると、二〇二二年上半期における全国自動車販売台数は千二百五万七千台、前年同期比で六・六パーセントの減少となっていた。また航空業界でも、中国三大航空会社（中国国際航空、東方航空、南方航空）の二〇二二年上半期の利益は合計で四百七十億元（約九千百五十億円）の赤字を計上しました。

さらに、中国民間企業を代表するＩＴ大手のアリババ、ファーウェイ、テンセントの三社が発表した第２四半期の営業業績は純利益ベースで、アリババは前年（二〇二一年）同期比で五十三パーセントの減益、つまり利益半減でした。そのアリババグループは上半期で一万三千人以上の従業員を解雇したのです。そしてファーウェイが発表した上半期の純利益は、前年同期比で五十二パーセント減益でした。ファーウェイの創業者・任さんが、内部文書で、驚きの経営実態を明らかにした。何が書いていたかというと、「この数年、ファーウェイが生き残ることが、一番、大事である」と。なりふり構わず、どうやって、生き延びるかが最大の問題だということを明かした。それほど経営は深刻なのです。

宮崎　ファーウェイの社内メモをリークした社員がいたようだね。

石平　そうです。またIT大企業テンセントの純利益も同じく第2四半期で前年同期比五十六パーセント減益でした。このように中国を代表する大企業アリババ、ファーウェイ、テンセントの三社が揃って利益半減となったのは前代未聞の出来事です。

宮崎　このビッグスリーの株価もだいたい五十パーセントの下落です。

石平　利益も半減、株価も半減ということですね。深刻です。仮に、私の収入が半分に減ったら女房は家に入れてくれないからね（笑）。

宮崎　収入が減ったといえば、教職員はボーナスなしで、給料は二カ月遅配だという。先生方のデモが起きているでしょう。

石平　公務員も事実、全員給与が減らされています。地方政府の財政難が関係しています。というのは、後で不動産の話をしますが、今まで地方政府の収入は土地財政で賄ってきました。ようするに不動産開発業者に国有地の使用権を譲渡して、開発業者からその開発譲渡金を貰って、地方財政を回してきた。しかし、不動産が売れなくなると、開発業者がこれ以上、マンションを建設しなくなります。住宅ローンの不払い運動のところでも、若干触れましたが、不動産会社の資金繰りが悪化すると、不動産投資が不振に陥る。となると不動産開発業者が買う土地も減少する。すると、土地の使用権を買うために、つぎ込むおカネも大幅に減ることになるという悪循環が発生するのです。

二〇二二年四月の数字で、各地方政府の財政収入を見ると、深圳の財政収入は去年（二〇二一年）四月に比べると四十四パーセント減、南京は五十九パーセント減、蘇州は四十九・六パーセント減、広州が三十六パーセント減です。深圳は中国の中でももっとも豊かな都市であるはずです。そこがこの有様です。

宮崎　深圳はファーウェイやテンセントの拠点があるし、杭州はアリババの本社がある。税収が落ちるのはある意味、当然でしょう。

石平　確かに杭州市の財政は土地収入以外では、アリババの支払った税金で支えられてきましたからね。

宮崎　杭州市政府の財政はアリババで持っていたようなもの。だけども、まだ売る土地があるというのも不思議に思うね。おそらく、強制退去で農民から農地を取り上げ、それを民間のディベロッパーが、入札してバンバン購入してきた。それが、これまでのパターン。二〇二一年秋あたりから、入札を実施しても民間業者がまったく応札しないのだから驚きです。それで、最後の手段として国有企業に土地を売りつけているのです。

石平　中国各地方には都市開発機構という国有企業があります。開発業者は土地を買わなくなった。入札が流れたら、最後に入札するのは都市開発機構。

宮崎　それをやらなければ、地方財政は完全にパンクしますよね。今でも、事実上、パンクしているようなものですけど。

石平　地方政府がパンクしたら、大変です。公務員と準公務員を合わせて中国全体で地方公務員は約六千万人もいる。実は私の昔からの友人も地方公務員なのですが、去年から給料が大幅に減ったと嘆いていました。しかもボーナスがほとんどありません。公務員はもともと月給が安く、ボーナスで何とか毎月の生活費を補てんしてきたのです。

宮崎　ボーナスがなくなったら、マンションローンの残金が払えないし、子どもだって大学にやれなくなる。

不動産市場の総崩れで二〇二三年度はマイナス成長必至

宮崎　私は、いくつかの経済開発区を見学した事があります。一番、面白かったのは廬山のある江西省九江市《きゅうこう》です。そこの開発団地に行ってみたら、案内してくれた開発担当者が、ここには工業団地を作り、ここは民間のマンション群、そして幼稚園、学校があって、ショッピングモールが出来ると、青写真を持ってきて見せてくれたのです。確かに工業団地予定区ではブルドーザーで整地していました。

しかし、出来上がっているマンションを見たら、洗濯物を干している部屋は、ほんの数軒で、ほとんどはがら空き状態。それでも追加の新しいマンションを建設している。さらに、この隣接地に大学を誘致すると言っていたが、そんなところに大学が来るはずもない。また肝心の工業団地に進出してくる中国企業もない。そこで、係りの人に聞いた。「こんなことでは、収入がなくなって財政難に陥ってしまうではないですか」と。そうしたら、「また土地を売ればいい」という返事でした。確かに土地はまだまだある。ただ買う人がいない。本当に呆れてしまいました。つまり、中国経済はここまで、追い詰められたという事ですよ。

石平　いかに、中国経済が深刻な状態にあるのか。これはあくまでも、国家統計局が二〇二二年九月十六日に発表した数字ですが、二〇二二年の一月～八月までの数字で、中国全国の住宅販売面積は前年同期比二十六・八パーセント減と、約三割も減少しました。そして住宅売上高総額も三十・三パーセント減、ですから不動産は売上面積、売上高とも約三割も減少したことになります。つまり、大雑把に言って不動産関連業界は三分の一ほどのパイを失ったわけです。

マンションが売れなくなると、開発業者は当然、建設しなくなります。二〇二二年一月から八月までに住宅の竣工面積は前年同期比二〇・八パーセント減となり、住宅の新規着工面積も三十八・八パーセント減、約四割減っています。そこまで、不動産投資が減るということは大変、深刻です。

これまで触れてきたように、地方政府の財政だけではなくて、中国経済全体が不動産開発で支えられているからです。たとえば、二〇二二年の場合、全国で不動産開発投資は人民元にして十四・四兆元、日本円にして二百五十兆円です。日本のGDPの約半分にもなる規模です。しかも、二〇二〇年の中国GDPは百兆元余りだと仮定すると、十四パーセントが不動産開発で占めているわけです。ただ不動産関連の裾野は広く、その波及効果は大きい。その効果も含めるとだいたい、中国経済全体で、不動産投資関連が占める割合は約三割となる。そのことを中国の経済学者も指摘しています。

いずれにしても、これまで中国はマンションを建設し過ぎて、中国全国で三十四億人が住めるほどのマンションや住宅が出来上がっていると言われています。

宮崎　だから、十四億人を差し引くと、さらに二十億人が住める。まさに、超飽和状態にあるね。人類の歴史始まって以来の〝壮挙〟だね。

石平　そこで、中国経済に致命的なことを指摘します。

それは、「金九銀十」神話の破滅と不動産市場の総崩れという話です。「金九銀十」とは、中国不動産市場独特の慣用語です。今までの一般的な現象として毎年九月と十月は、中国では不動産がよく売れる時期なのです。

ところが、その二〇二二年九月三十日に、中国指数研究院が発表した驚くべき数字が明らかになったのです。二〇二二年一月～九月まで中国トップクラスの不動産開発大手百社（百強房企）の平均売上高が前年同期比で四十五・一パーセントも減少してしまったと……。

さらに二〇二二年十月七日、民間証券会社の中信建投証券が調査して発表した数字によると、二〇二二年九月、中国の「百強房企」全体の不動産売上総額は六千二百六十九億元、前年同期比では二十六・五パーセント減となった。例年の「金九」はただの幻となったのですよ。

二〇二二年十月一日から七日までは「国慶節」の七連休となりました。例年は「国慶節連休」は住宅がもっとも売れる時期で、まさに不動産市場にとって「黄金週間」です。市民は連休で時間があるから、各住宅販売センターへ家族が行って相談してマイホームの購入を決める。しかし、二〇二二年の「国慶節連休の不動産市場」は相次ぐロックダウンなどの影響もあって惨憺たるものになった。二〇二二年十月八日、「諸葛找房データ研究センター」が発表した七連休中の、中国十五（北京、上海、深圳など）の「重点都市」における新規住宅の成約件数は四千四百七十四件。前年同期比では四十七・一パーセント減で、そのうち、深圳では五十五パーセント減、上海では七十四・二パーセント減、北京では八十六・九パーセント減でした。このように大都市でも不動産は完全に売れない状況になってしまっている。「銀十」も幻に終わった。

宮崎　よりによって二〇二二年十月の党大会開催の直前の「国慶節連休」において、大都市では不動産市場の総崩れが目の前で起きていた。この不動産市場の崩壊と相まって極端なゼロコロナ政策の強行が今後も継続すると、中国経済のさらなる沈没は避けられない。事実上のマイナス成長は今後も続くでしょう。中国経済の経済成長は二〇二二年第2四半期〇・四％となっていましたが、二〇二三年は表向きの数字でもマイナス成長になるのではないか。

支えきれなくなるヤバい恒大集団

石平　中国の地方政府トップはだいたい数年間で交代します。それに絡んで、ひとつ問題が出て来ます。ようするにトップに在任中の数年間だけ、何とか乗り越えればいいと考えるわけです。だから「俺が在任期間中のときだけ、何とか破綻しないようにすればいい」。そのために借金はいくらでもする。しかし、ツケが溜まっても、次のトップにツケを全部、回せばいいというわけです。

だから、地方政府の借金は膨らむ一方です。収入も減り、土地財政は崩壊の一歩手前。これが今、地方財政にとって致命的な問題なのです。先ほど話に出て来ましたが将来、公務員の給料をもっと減らしていく。すると公務員は明らかに食べていけなくなります。そう考えると、ただの経済問題ではなくなっていく。深刻な治安問題、あるいは政治問題となる。こうして中央政権を支える基盤が地方から崩壊していくのです。

宮崎　何千万人の公務員の収入が減るとなれば、中国全体の個人消費は確実に落ち込む。その背後に何があるのか。習近平政権が行っているバカな経済政策があるのです。不動産市場がダメになって、学習塾が潰れ、ゼロコロナ政策で企業活動が停滞し個人消費が壊滅状態にありますから。

石平　このような状況を生み出したキッカケというのが、二〇二〇年から二〇二一年の政府による不動産融資の規制強化でした。中国人民銀行（日本で言うところの日銀）は、銀行が不動産開発会社に融資する条件として、負債比率を守るなどの財務指針「三つのレッドライン」を設定した。これで、不動産会社の資金繰りが急速に悪化してしまった。これは、習近平政権がバブル発生を恐れたことが理由としてあります。いずれにしても、この結果、不動産会社の信用は大きく毀損し、不動産投資に対する国民の不信感は高まる一方となってしまいました。

こうした中、大手の不動産開発業者に、二〇二一年から倒産の危機が浮上しました。

そのいい例が、恒大集団です。資金繰りが悪化して今や倒産寸前にあります。負債総額が三十三兆円と巨額で、潰そうとしても潰せない巨大企業とも言われています。この会社の行く末が注目されるところです。

そして、アメリカのハーバード大学ケネス・ロブコ教授の試算によると、不動産関連の投資が二十パーセント減ると、中国のＧＤＰは五パーセント〜十パーセントも減少するという。由々しき大問題です。

兎に角、マンション価格が下落基調をたどり、買う方としては、もっと安くなると予想して、慎重になる。買い手がいなくなると、さらに価格が下がるという悪循環に陥ってしまった。そして、資産価値がどうにもならないくらいに毀損してしまった。

このように中国経済全体が落ちてくる。この言い方は悪いかも知れませんが、ある意味で「おめでたい」状況になっています。

宮崎　恒大集団だけではなく、大手の不動産開発会社碧桂園（カントリー・ガーデン・ホールディングス）もやっぱり、相当ヤバい状態にある。同社の株価は二〇二一年比で約七割も下げ、それとともに米ドル建て債券の流通利回りが二十パーセント〜七十パーセントに跳ね上がった。社長の資産も約八十パーセント減少したようです。

石さんが指摘されたように、不動産事業は投資の裾野が広く、GDP関連でいえば、コンクリート、建設用クレーン、ブルドーザー、ショベルカー、そしてセメント、ガラス、鉄鋼、水道管、トイレ、さらに細かいところでは不動産販売のカラー広告制作、チラシの折り込み、紙代などが生み出されます。それらを入れたら、経済効果はバツグンに大きいものがある。きっと関連業界は三百以上ある。これらが、同列の比率においてマイナスの悪影響を受けている。だから、恒大集団のチラシ広告を請け負っている業者が、不払いを受けて倒産してしまった。このように関連業界も一段と悪化傾向をたどることは、想像できますね。末端業界まで入れると、不動産業界不振によるGDPの影響は三割以上にも及ぶでしょう。

だから、恒大集団を何とか支えようと地方政府が支援に躍起となっていますが、難しいと思うね。いままでは何とかなった。しかし、いつまでも、錬金術師のように助けることは出来ないからね。

若者は失業し、寝そべり族か、オレオレ詐欺をやるしかない？

石平　今の中国経済でいい点は見えないですね。

宮崎　ＧＤＰを支えている個人消費、民間企業の設備投資がダメなのに、政府支出、貿易収支だけは黒字です。なぜ、中国の輸出が増えているのか。それは中国に進出して工場を展開している台湾のＴＳＣＭなど海外企業の輸出が拡大しているおかげです。今、中国経済で黒字は何かと言ったら、この貿易収支だけです。それ以外は、民間投資がガタ減りだし、個人消費の不振が覆いかぶさってくるから相当、中国経済は落ち込む。中国にはショッピングモールが全国で約八千カ所あります。だが店舗閉鎖でシャッター街になってしまったところも多い。テナントが埋まっていません。また中国離れで、中国から撤退する企業も増えつつある。肝心の貿易収支もこれから先、右肩下がりは必至です。

石平　宮崎さんが言われたように個人消費は全然、ダメ。二〇二一年における社会消費財小売総額の伸び率は十八パーセント程度でした。それが二〇二二年一月～八月までは〇・五パーセントしか増加しなかった。一応、伸びているといっても、物価が上がっているから。その分を差し引くと、実質的には減少している。経済全体に占める個人消費の割合が、中国は低く、三割ぐらい。

宮崎　アメリカのGDPに占める個人消費は六十五パーセント。アメリカ人は何でも買うからね。日本は五十パーセントぐらい。日本人は倹約家で、貯金するのが大好きな国民性を反映しています。

石平　問題なのは、中国の個人消費比率が三割にとどまっていることですね。

宮崎　たとえば、家電が売れ残って、倉庫に在庫がいっぱいです。トースター、冷蔵庫、洗濯機、掃除機という家電製品が在庫だけで、二兆円もある。これは前年同期比では、十五パーセント増ですが、三年前と比べると二倍増にもなっている。家電商品は、もともと過剰生産が放置されていたところに、新型コロナウイルスで消費そのものが冷え込んだ。それが在庫増加の背景にあるけど、さらに膨らむ可能性が高い。そして、この積み上がった在庫をどうするのか。減損処理や破棄を迫られれば、業績へのさらなる悪影響が予想される。今後は、人員の削減とともに販路が縮小されることにもなるでしょう。

石平　中国の個人消費を支えるのは零細な事業主や企業主です。こういう購買力のある人たちが、二〇二二年上半期だけで四十六万件も倒産したのだから、消費しようという気は失せて、元気はなくなります。

さらに、消費でいうと、年寄りは倹約する。一番、消費が盛んなのは若者たちです。

若者は借金してでも消費するからね。そして何でも新しい物を買う。しかし今、中国の若者の間で、流行っているのは「寝そべり族」(競争社会を嫌がり、住宅やクルマの購入を諦め、恋愛をせず、結婚はしない。そして子供は作らないライフスタイル)です。お菓子を食べながらテレビを見る、頑張らない、消費もしない。自分ひとりが生きて行ければいいという考えです。

国家統計局が公表した数字で二〇二二年七月、十六歳〜二十四歳までの失業率は十九・九パーセントでした。しかし、この数字は誰が見ても分かるように、二十パーセントを超えないように操作した痕跡がある。実質上、二十パーセントを超えている。

宮崎　いや、実態はそんなもんじゃないですよ。おそらく四十パーセントを超えていると思う。国家統計局の公表数字は、当てにならない。数字を誤魔化す名人の巣窟ですからね(笑)。

それはそうと、二〇二二年の大学新卒は一千万人を超えたでしょう。二〇二一年が九百七十万人でした。二〇二二年の新卒者の約半分は就職先がないのではないですか。

石平　二〇二二年四月の段階で、民間調査会社が調べた数字ですが、新卒の半分以上がまだ、企業からオファーを貰っていなかったという。中国では新学期は九月からスタートします。ですから七月には卒業となります。卒業直前の四月で、この状態でしたから相当、厳しかったでしょうね。

宮崎　しかも、内定取り消しもあった。公式統計で若者の失業率は十九・九％だという。

石平　仮に四割就職できなかったら、新卒の大学生だけでも失業者は四百万人にものぼってしまう。

宮崎　『大学は出たけれど』（日本映画・一九二九年）の世界だな（苦笑）。いままでなら、企業に就職できなかったら、腰掛で、学習塾の教師や家庭教師でもやって、何とか凌げた。それが今では学習塾や家庭教師が禁止され、それすら出来なくなってしまった。最後の手段として、肉体労働者で日銭を稼ぐしかない。いまの中国語で「騎手」というのは競馬ではなく出前配達員です。とりあえず、この騎手をやっている若者も多い。でもビル、マンション建設も相次ぐ停止。一体どうするんだろうね。「オレオレ詐欺」とか、やるんだろうか。

石平　だから、二〇二二年十月の党大会でも、この最悪の状況をどう収拾するかが焦点でした。中国人はよく「今年（二〇二二年）の中国経済は、この十年間の中で、一番、悪かった。しかし、今後十年間では、今年が一番、良かったことになる」とうそぶいている。

ますます経済は悪くなると国民みんなが予感し危惧し始めている。そういう意味では政治の話になりますが、二〇二三年春までは李克強たちを中心にした共青団に経済運営を一応させて、ダメだったとの烙印を押して、李強新首相のもと、新体制で乗り切ろうとするのでしょうが、どう考えても高度成長に戻るのは無理。後は、誰がやっても中国経済は落ちる一方です。

中国から撤退する「バスに乗り遅れる日本企業」

宮崎　いや、落ちる速さが、多少、やり方によって異なるでしょうが、李強が新首相では、落下スピードは早まるばかりでしょう。プーチン・ロシアの経済後退の比ではない。中国は、何があっても不思議でない国家だからね。しかも、十四億人もいて、治安が悪化したら、大混乱になる。現代版の黄巾党の乱（中国、後漢末の農民反乱）が起きそう。

石平　唯一、中国経済がもっているのは、先述したように、まだ輸出が好調だから。

外資系企業が中国国内で生産した製品が海外に輸出されているから。TSMCとか、鴻海とか、台湾半導体メーカーがアメリカ市場、東南アジア市場へ積極的に輸出している。

宮崎　ヨーロッパにも輸出している。とはいえ、スーダンとか、ナイジェリアとか、発展途上国に中国産の自動車を多く輸出しているけど、日本では、中国産のクルマなんて、ほとんど買わないでしょう。まぁ、電気自動車が安くて、これから入ってくる可能性はあるけど……。

石平　アメリカ議会で、新疆強制労働禁止法が二〇二二年六月から施行され、この影響はかなり出てきた。ようするに、強制労働による製品のアメリカへの輸出は不可能になった。強制労働の恐れのない製品であることを業者が証明しないといけない。そしてそれを証明するという事はまず至難の業です。そうなって、アメリカ市場から排除されると結局、日本企業でも中国で作った製品・商品をアメリカへ輸出できなくなる。

宮崎　でも狡賢い中国は、中国で製造した製品を一度ラオスに持って行って、メイドインラオスに直して、アメリカに輸出したりしている。ラオスの他にもバングラデシュなどに中国製品を迂回させて、アメリカへ輸出するという寸法です。

石平　それから、ひとつ宮崎さんにお聞きしたいのは、欧米諸国の大企業の中国からの移転・撤退状況はどうなっているのでしょうか。

宮崎　数字はまだ完全には把握できていないのですが、欧米企業が中国から徐々に出ているのは確かです。本番はこれからです。アップルが遂に工場を中国からインドに移すことになった。これは、中国にとっては致命的で大きなダメージを与えることになりますね。これまでｉＰｈｏｎｅはほんど、中国で製造していました。その生産台数は年間で一億台以上です。これを生産していた工場を移すといったら、中国としては、外貨を稼いできた貴重なドル箱を失うわけでしょう。それから、インテル、マイクロソフトの工場もベトナムに移る。とはいえ、欧米企業の移転には時間がかかります。既存の工場をいきなり、操業停止して、移転するわけにはいかないですから。それでも、ジワリジワリと主力企業の中国からの移転は続くと思う。ただ、電気自動車大手のテスラは、どうなるか分からない。

日本のユニクロやワークマンなどにしても、ベトナムやミャンマー製が増えています。

在中国ドイツ商工会議所が二〇二二年五月に発表したところによると、中国に赴任しているドイツ企業の約三割が中国を離れる予定だといいます。これは、ロックダウンで「何週間も自宅に閉じ込められ大変な苦痛を味わった。小さな子どもを抱えていれば、困難さは計り知れない」という理由が大きいらしい。欧州企業の中国投資は見直しが進んでいて、国際的な大企業による中国投資は崖っぷちに立たされている。

ウイグル人や少数民族に対する人権侵害について、批判的なコメントを出したアメリカのスポーツ用品会社の「ナイキ」、スウェーデンのアパレル会社「H&M」は中国人からボイコットに遭いました。また、アメリカ航空機メーカーのボーイングも中国から小型旅客機「737MAX」の受注機数を突然、百機以上減らされた。だから、今後も中国で突然、何が起きるか分かりません。欧米企業の多くは中国との関係がさらに悪化した場合を考慮して、今からリスク軽減の対応に追われているようです。

石平　日本企業にそういう動きはないのですか。

宮崎　日本企業にまだ、本格的に中国から出ていく動きはない。日中国交正常化五十周年をいまだに率先してお祝いしている経団連ですからね。その十倉雅和会長は日中国交正常化五十周年の二〇二二年九月二十九日の記者会見で、日中両国の関係について「競争か協調かという二者択一ではなく、競争と協調で付き合っていかなければいけない」と記者団に語ったそうですが、中国政府の身勝手な振る舞いひとつで、一夜にして日本企業がすべてを失うことだってあるからね。日本企業は一刻も早く、中国から撤退すべきなのに、のんびりしたものです。本当に呆れてしまう。

それでも、キヤノンが、中国の広東省珠海市にあるコンパクトデジタルカメラ工場を閉鎖するなど、理由はともかく撤退する日本企業も出始めましたね。

日本から中国に進出した企業はこの二十年間だけでも三万社を超え、日中間の貿易総額は一九七二年の三千三百八十八億円から、二〇二一年には三十八兆円にも膨らみました。ホンダは中国に「東風本田汽車」(湖北省武漢市)と「広汽本田汽車」(広東省広州市)の二つの現地合弁会社があり百六十二万台生産しています。その一方で日本国内の生産は六十三万台規模にとどまっているのです。またトヨタ自動車は中国で三百万台生産していますが、日本の生産台数(二百八十七万台)より多いものですから、中国から工場などを移転撤退するというのは、簡単ではない。でも、撤退バスに乗り遅れると最悪の悲劇をうみます。

中国の地方政府は、日本企業からショバ代を取り立てる

石平　中国国内の環境が経済、治安も含めてだんだん、悪くなるのだから、早急に中国での事業展開について考え直した方が賢明でしょう。まず、ゼロコロナ政策にしても、

そのやり方はあまりにも乱暴で一方的すぎる。第一章でも詳述しましたが、かつての反日暴動デモも今後また発生するかもしれない。要は、中国は法が支配する文明国家ではなく、共産党の恣意的なやり方が横行する国だということをきちんと認識すべきです。だから、生産活動が突然、停止に追い込まれてしまうリスクが高い。さらに最近では、水不足、電力不足が深刻で、この点も心配されています。

そして、まだ表面化していませんが、これから日本企業は中国でさらに憂慮すべき事態に陥る可能性があります。それは、前述したように、地方政府の財政が徹底的に悪くなってきたことと深い関係があります。省、市、県、鎮まで地方政府は、当然の事ながら幹部を含めて多くの職員を養っていく必要がある。でも、地方政府の財政状況は不動産関連の収入激減で、悪化の一途にあり、二進も三進もいかない状態にある。追い詰められた地方政府は確実に収入が得られる政策を、積極的に打ち出そうとしています。実は収入を得る手立てが一つだけある。それは、何か。民間企業を徹底的に締め上げて搾取することです。その権限は、彼ら(地方政府)にとって手の内にあり、簡単に出来ます。

たとえば、毎日のように企業に検査に入って、「ここが問題だ。あれが問題」と厳しく指導するのです。その都度、多額の罰金を徴収すればいいわけです。

宮崎　それは、繁華街にある食堂と同じですよ。ヤクザは食堂に入って一日、ボウっと居て営業妨害する。店側はしょうがないから、みかじめ料（ショバ代）を払う。共産党というのは本質的にヤクザだからね。

石平　地方政府も土地が売れて、財政に余裕があった時は、そういう検査は適当だった。検査は手を抜き徹底的にやらない。もし、やったら企業は逃げてしまうからです。しかし、今はその余裕が地方政府になくなった。しかも、今の地方政府トップは数年で交代だから、「俺が就任している数年間、徹底的に民間企業から搾取してしまおう」という魂胆です。その結果、最後に企業が逃げ出しても、そのとき、俺はすでに別のところに転属されているはずだ、となる。

まず、中国の民間企業が最初に標的にされる。その次は外資企業です。外資企業で一番、やりやすいのは、ハッキリ言って日本企業です。カネは持っているし、日本人は恭順で反抗しません。地方政府の役人の言いなりです。しかも日本政府、外務省はことなかれ主義で日本企業を守らない。もうやりたい放題、徴収し放題になる恐れがあります。

それでも、中国国内で、経済活動を続ける日本企業があるならば、「まな板の上のコイ」的な存在とみなされるだけです。

さらなる懸念としては、万が一、台湾有事となったら、どうなるのか。中国が台湾侵攻をしたら、日本企業やその関係者たちは間違いなく「人質」です。ロシアのウクライナ戦争で現実になったけど、西側がロシアに制裁を発動すると、多くの外資企業のロシアビジネスは、サハリン石油ガス開発など、一瞬の間に吹っ飛んでしまった。これからは、在中国の日本企業も同じようなリスクを抱える。台湾有事、尖閣有事が目前に迫っているときに、日本の経団連はいつまで中国にしがみ付いているつもりなのか。市場規模が大きいという理由だけで、中国を重視すべきではないと思います。

サムライ経営者がいなくなった

宮崎　安倍政権の末期に中国からの撤退促進予算を組んだことがあります。その規模は二千億円でした。でも、撤退したのは中小企業を中心とした百三十社だけで、そして、そのほとんどの企業は日本に帰ってきませんでした。中国から出て行った中小企業は、みんなベトナムとかインドネシアとかに移転してしまった。

でも、ベトナムがなぜ、ブームなのか。ベトナムの人口が一億人と多いうえに、ベトナム人の人柄がよく、約束は守る。そして頭がいい。中国と戦争をして勝った国だからということもあるのでしょう。しかし、ベトナムも共産国家だという現実は忘れないほうがいいでしょう。いまは親日でも、いつ反日になるかわからない。

石平　それにしても、どうして経団連は、これほどまでに危機意識が薄いのだろうか。

宮崎　経団連も昔はサムライ経営者がいたけれど今は、みんなサラリーマン社長だからね。突拍子もなく目立つ楽天グループの三木谷浩史会長とか、ソフトバンクグループの孫正義さんとかは、経団連の上層部には行かないからね。そういう人たちを、経団連はみんな排除してしまうね。だから、冒険的なことは何も出来ないし、決断しようともしない。だから危機感に乏しい。どうしようもない。そのうえ、彼らは親中派だ。

だけど、アメリカの証券、保険会社もいまだに、中国とうまい商売をしているね。しこたま儲けているけれども、そろそろ撤退しないと間に合わなくなるでしょう。それを知ってか、ウォール街から中国企業の上場企業がだいぶ、排除された。一時期、二百数十社がニューヨーク市場に上場していたけど、今は激減中。もともとアメリカの金融界は中国企業の上場斡旋料でえらく儲けた。加えて中国の対外債権発行に対する手数料を二パーセントから三パーセント取っていた。その中国企業による起債のビジネスがなくなると、やっぱりアメリカの経済もマイナスの影響を受けることになる。つまり、最近のアメリカ経済はモノを作って発展してきたのではなく、カネをコロがし金融市場中心に成長を遂げてきた経緯がある。要は、アメリカは輸入したものを消費しているだけだからね。

でも、ウクライナ侵攻という野蛮行為をみて、日本企業はロシアから撤退し始めた。というのも日本はルールに真っ先に従う国家だからです。同じ危機があと数年で中国にいる日本企業を襲う可能性があることは十分認識しておくべきだと思う。かつての満洲の引き揚げという悲劇の再現はみたくないものです。

おわりに――習近平政権はファシズム政権となった!　石平

注目の中国共産党全国代表会議（党大会）が終わってから一週間後の二〇二二年十月二十七日、習近平総書記は新しい政治局常務委員会メンバーの全員を率いて、「革命の聖地」である陝西省延安市を視察し「重要講話」を行った。

党大会で対抗勢力を排除し独裁的地位を強化した習氏はこれから何をやりだすのか。この問題に国内外の関心が集まっている中で、習氏が党大会の直後に最高指導部全員を率いて行った最初の地方視察は、政治的には非常に重要である。その視察先が延安であることが、習政権の今後の政治的方向性を示す上で大変重要な意味を持つのである。

では、視察先の延安という街はどういう街なのか。実は延安は一九三五年から四八年までの十三年間、中国共産党中央指導部の所在地であって、彼らの「共産主義革命」の本拠地であった。さらに、一九四五年に延安で開かれた共産党第七回全国代表大会で、毛沢東の絶対的地位と「毛沢東思想」が確立され、中共による政権奪取の基盤が整えられた。したがって中国共産党からすれば、延安というのはまさに革命の聖地なのである。

党大会の後、習近平が真っ先に最高指導部全員を率いて延安を視察した意味はまさにここにあろう。つまり彼はこの行動を以て、毛沢東の「共産革命」が自分の政治の原点であり、自分こそが毛沢東の真の後継者であることを内外に示した。そしてそうすることによって、今後の習政権の政治路線は、毛沢東政治への回帰であることを強く示唆したのだ。

習近平からすれば、一九七六年に毛沢東の時代が終わって次の鄧小平の時代になると、いわば「改革開放」路線の推進によって資本主義が氾濫して貧富の格差が開いたと考え、だから自分の果たすべき歴史的使命とは、すなわち鄧小平路線を否定し、毛沢東の「古き良き」時代に戻ることであるとみなしているのだろう。毛沢東流の共産主義革命こそが自分の一番大事にするものであることを、習近平は延安視察をもって強調した訳である。

そして習氏は延安で行った一連の「重要講話」の中でまず、「延安精神」という言葉を持ち出した。

「延安精神」というのは、延安時代の中国共産党が提唱する原理主義的な「革命精神」であるが、習氏はそこで、延安精神の中身として「自力更生」の重要性を強調する一方、自らが今まで提唱してきた「共同富裕」の政策方針を強く訴えた。そして彼の言う「自力更生」と「共同富裕」は当然、格差の容認と外国資本の導入を奨励する「改革開放」の鄧小平路線に対するアンチテーゼである。

本文でも触れたように、党大会で改革派の共青団派を指導部から排除した今、習氏は何の遠慮もなく鄧小平の「改革開放」路線に反対し、毛沢東流の「自力更生・共同富裕」を全面的に打ち出し、今後の政治方針として推し進めることの事実上の「所信表明」を行ったのである。

つまり、鄧小平時代と決別するための政策理念を明確に打ち出したことに、習氏による今回の延安視察の大きな政治的意味があったのだ。

もう一つ非常に注目すべきなのは、習近平が延安視察において、共産党第七回党大会会場の旧跡を訪れ、ここで延安整風運動のことに触れ、次のように語ったことだ。

「党の第七回党大会は歴史的意味のある重要会議である。党はまず延安整風運動の展開を通して、毛沢東（主席）の旗印のもとで空前の統一と団結に達し、全面的勝利への道を切り開いた」

彼がここで言及した「延安整風運動」とは何か。

一九四二年から四五年の第七回党大会開催までの約三年間、毛沢東の主導・指揮下で共産党党内で行われた、大規模な粛清・洗脳教育運動がそれである。そして、粛清と洗脳によって毛沢東と毛沢東思想の絶対的地位が確立された歴史があるのである。これで毛沢東は中国共産党の唯一無二の独裁者になり、共産党という山賊集団を率いて内戦を勝ち抜き政権奪取に成功した。

習近平が、延安で今のタイミングで「延安整風運動」を持ち出したことの政治的意味は何か。

二〇二二年十月の党大会で、習氏は、反対勢力の李克強らを指導部から排除し、自らの個人独裁を強化したものの、党内では依然として習近平政治に不満・反発を抱く勢力が大量に存在し、党大会で改定された新しい党規約に、習氏の独裁地位の絶対化を意味する「二つの確立」を盛り込むことはできなかった。

つまり習氏にとって先日の党大会は、勝利を収めたものの、依然として不満の残る大会であった。党内に反対勢力がまだ存在している以上、自分を頂点とした「党の空前の統一と団結」は未だに完全達成されていないと、彼は思っているであろう。

従って、習氏が党大会直後にまず延安を視察して「延安整風運動」に言及したことは、彼はこれから毛沢東に倣って、習近平版の「整風運動＝党内大粛清」を展開していくことを宣言したとも理解できよう。

先般の党大会では習近平一派は汚い権謀術数を弄して胡錦濤を愚弄し、李克強らを指導部から排除した。これで習近平派と共青団派との関係修復はもはや不可能。むしろ二つの派閥は完全に敵対する関係になった。習氏としては、あるいは中国共産党党内党争の鉄則からすれば、ここまで敵対関係になった以上、もう相手を徹底的に叩き潰す以外ない。

つまり、「毒を喰らわば皿まで」となり、習近平はこれから共青団派を徹底的に粛清して党内から一掃する以外にない。また、共青団派だけではなく、昔の江沢民派の残党も全部党から一掃した上で、共産党全体が「純粋習近平派」となるように「政治浄化」を完遂し、習氏自身への忠誠心を前提とする共産党の「空前の統一と団結」を図ろうとしている。

かつての毛沢東は、自分を中心とした党の「統一と団結」を土台に内戦を勝ち抜いて政権奪取という「偉業」を完遂した。今の習近平はそれに倣って、異分子を粛清し完全排除して自らの絶対的権威を確立した後、台湾併合の「大業」を達成しようと考えているのであろう。

彼はさらに、台湾併合戦争を発動したことで欧米から厳しい経済制裁を課せられることを想定し、それに対処するため「延安精神＝自力更生」を提唱しているのだろう。党大会の習近平氏の言動は結局、全て台湾併合戦争の発動につながっていくのである。党内の完全統一を図ろうとするのも、自分の権威樹立のためであると同時に、それを基盤に台湾併合戦争を発動する思惑であろう。

また、本書でも解説したように、党大会後の政治局・中央軍事委員会人事は完全に戦時体制になっている。それらの事実と照らし合わせてみると、習氏は今、政治・軍事・経済の多方面で台湾戦争発動の準備を着々と進めていることがよく分かる。習近平はやる気満々である。

前述のように、この本では、先の党大会で誕生した政治局常務委員会と中央政治局の人事について解説したが、ここではもう一つの中枢部門である「中央書記処」の人事を見てみよう。

この「中央書記処」とはどういうものか。中国共産党の中央指導部の構成においては、まずは中央政治局・政治局常務委員があって、それが中国共産党の意思決定機関である。それに対し、「中央書記処」は総書記（習近平）の下で政治局・政治局常務委員会の意思決定を執行・貫徹するための中枢機関となっているのである。つまり政治局・政治局常務委員会が党中央の「頭脳部分」であるならば、中央書記処はその「心臓部分」に当たる。政治局常務委員会の意思決定は全て中央書記処を通して実行に移されていくからである。

党大会後、中央書記処人事は総入れ替えをしたが、総勢七名の新しい中央書記処書記のうち、実は秘密警察・公安関係者は三名であり過去最多である。

党大会前の中央書記処書記も七名であったが、公安警察関係者は元公安部長（大臣）の郭声琨氏の一人だけであった。しかも郭氏はもともと警察出身ではなく地方で党委員会書記を務めた後で公安部長に転任した経歴の持ち主であって、党大会前の七名からなる中央書記処には、正真正銘の警察や秘密警察出身者は一人もいなかった。

しかし今回、新中央書記処には警察・公安関係者、しかもプロの警察出身者三名が一斉に入ってきた。まさに政権史上前代未聞の大珍事である。

新中央書記処書記となった秘密警察・公安関係者の顔ぶれは左記の通りである。

①**陳文清**　警察出身。四川省楽山市公安副局長・局長、四川省公安庁副庁長・庁長、国家安全部部長（スパイ・秘密警察組織トップ）を歴任。

陳氏は中央書記処に就任すると同時に、政治局員にも昇進。秘密警察トップが政治局員になるのは史上初めて。

中央書記処書記となった陳氏はその一方、中央政法委員会書記にも就任。公安だけでなく司法機関全般を管轄する立場。秘密警察出身者が中央公安・司法の頂点に立つ事態となった。

②**王小洪**　警察出身。現公安部部長（大臣）。福建省福州市公安局長、福建省公安庁副庁長、河南省公安庁庁長、北京市公安局長、公安部副部長を歴任。習近平腹心の一人。

③**劉金国**　公安幹部出身。河北省秦皇島市公安局長、河北省公安庁副庁長、公安部副部長を歴任。

以上のように、秘密警察・公安関係者三人が七人構成の党の中央書記処に一斉に入り、秘密警察の元トップが中国司法の頂点に立ったことは、習近平主席による党内大粛清と国内監視・統制強化のための人事であると考えられる。習近平政権の下で、中国はますます恐ろしい「警察国家」となっていく。これから党内の大粛清と国民に対する監視・弾圧はより一層厳しくなる。毛沢東時代と同様の、あるいはそれ以上の暗黒時代がこれから始まろうとしている。

こうしてみると、三期目に入る習近平政権は対内的にも対外的にもまさに危険極まりないファシズム政権であることはよく分かるが、この超ヤバい、ファシズム政権にどう対処していくのかはまさに、われわれ周辺世界にとっての最重要な緊急課題の一つであろう。

そして、この本が、皆様がこの大問題を考えるための一助となれば、私たちにとってはこれほど嬉しいことはない。

最後に、十数年以上に渡って毎年の対談に快く応じてくださる宮崎正弘先生に心からの感謝を申し上げたい。そして本書を手に取っていただいた読者の皆様には、ただひたすら頭を下げて御礼を申し上げる次第である。

（奈良西大寺付近・独楽庵にて）

宮崎正弘（みやざき まさひろ）
評論家。1946年、石川県金沢市生まれ。早稲田大学中退。『日本学生新聞』編集長、月刊『浪漫』企画室長などを経て貿易会社を経営。1982年、『もうひとつの資源戦争』（講談社）で論壇へ。以後、世界経済の裏側やワシントン、北京の内幕を描き、『ウォールストリート・ジャーナルで読む日本』『ウォール街・凄腕の男たち』などの話題作を次々に発表してきた。著書に『こう読み直せ！ 日本の歴史』（ワック）、『さよなら習近平』『大暴落にむかう世界』（ビジネス社）など多数。

石　平（せき へい）
評論家。1962年、中国四川省成都生まれ。北京大学哲学部卒業。四川大学哲学部講師を経て、1988年に来日。1995年、神戸大学大学院文化学研究科博士課程修了。民間研究機関に勤務ののち、評論活動へ。2007年、日本に帰化する。著書に『なぜ中国から離れると日本はうまくいくのか』（PHP新書、第23回山本七平賞受賞）、『中国をつくった12人の悪党たち』（PHP新書）、『私はなぜ「中国」を捨てたのか』『朝鮮通信使の真実』『石平の眼 日本の風景と美』（ワック）、『中国の電撃侵略』（産経新聞出版）など多数。

習近平《しゅうきんぺい》、最悪《さいあく》の５年間《ねんかん》が始《はじ》まった

2022年12月28日　初版発行

著　者　宮崎 正弘・石 平

発行者　鈴木　隆一

発行所　ワック株式会社
東京都千代田区五番町 4-5　五番町コスモビル　〒102-0076
電話　03-5226-7622
http://web-wac.co.jp/

印刷製本　大日本印刷株式会社

© Miyazaki Masahiro & Seki Hei
2022, Printed in Japan
価格はカバーに表示してあります。
乱丁・落丁は送料当社負担にてお取り替えいたします。
お手数ですが、現物を当社までお送りください。
本書の無断複製は著作権法上での例外を除き禁じられています。
また私的使用以外のいかなる電子的複製行為も一切認められていません。

ISBN978-4-89831-877-5

好評既刊

それでも習近平が中国経済を崩壊させる

朝香 豊

B-334

中国経済が復活？ 実は負債は制御不可で1京円を超えた！ 外貨は激減し、失業率は20％以上になっている。経済統計はフェイクのオンパレードなのだ！

ワックBUNKO　定価990円（10％税込）

中国の暴虐

櫻井よしこ・楊逸・楊海英

共産中国の非道を体験した二人（楊・両氏）と櫻井氏の三人が徹底討論。その結論は「日本は中国と戦う時がきた」『一歩も引いてはならない』だった！

単行本（ソフトカバー）定価1540円（10％税込）

命がけの証言

清水ともみ

ウイグル人たちの「命がけの証言」に応えて、ナチスにも匹敵する習近平・中国共産党によるウイグル弾圧を、マンガで告発。楊海英氏との告発対談も収録。

単行本（ソフトカバー）定価1320円（10％税込）

http://web-wac.co.jp/

好評既刊

安倍さんと語った世界と日本
「アベノミクス」から「新戦争論」
「2023年の経済」まで
髙橋洋一
B-371
安倍政権で内閣官房参与を務めた著者が、「アベノミクス」を総括し、ウクライナ戦争以降の防衛・経済危機を日本が乗り切る処方箋を公開！
ワックBUNKO　定価990円（10％税込）

「正義の戦争」は嘘だらけ！
ネオコン対プーチン
渡辺惣樹・福井義高
B-372
プーチンの侵攻は「正当性」はなくとも「理由」はあったのか？　欧米メディアなどの垂れ流す「戦争プロパガンダ」の偽善を見抜くべし。
ワックBUNKO　定価990円（10％税込）

トヨタが中国に接収される日
この恐るべき「チャイナリスク」
平井宏治
B-367
日本の進出企業は、中国の「軍民融合政策」のワナが分かっていない。中国から上手に撤収する方法を、お教えします。門田隆将氏絶賛！
ワックBUNKO　定価990円（10％税込）

http://web-wac.co.jp/

好評既刊

私はなぜ「中国」を捨てたのか【新装版】
石平
B-313
〝地獄の独裁国家中共〟から脱出して、「日本に来て良かった」と心底から叫びたい！　自叙伝的に、中国との訣別への思いを綴る。
ワックBUNKO　定価1012円（10％税込）

中国が台湾を侵略する日
習近平は21世紀のヒトラーだ！
宮崎正弘・石平
B-340
統計詐称の中国経済は「不動産バブル」で崩壊寸前。難局を乗り切る唯一の手段は「台湾統一」しかないと決意する時がくる⁉
ワックBUNKO　定価990円（10％税込）

朱子学に毒された中国
毒されなかった日本
石平・井沢元彦
B-363
ゴーマン中国の源流は朱子学にあり。その流れを受け継いだ中国共産党政権。日本には天皇家があったから朱子学の毒を帳消しにできたのだ。
ワックBUNKO　定価990円（10％税込）

http://web-wac.co.jp/